교과서 완벽 반영

예비 초등 한글 자신감

① 받침 없는 글자

학부모 안내서

안녕하세요, 초등 교사 유정입니다.

18년 동안 학교 현장에서 아이들을 만나고, '맘앤티처'라는 또다른 이름으로 수많은 부모님들과 소통하며 어린이들의 한글 교육을 이야기하고 있습니다.

막 학교에 들어온 1학년 어린이들의 한글 수준은 천차만별입니다. 한글을 떼고 오는 어린이가 있는가 하면 한글을 거의 읽지 못하는 어린이도 있습니다.
한글을 안다는 것은 소리가 어떻게 글자로 표현되는지 안다는 것입니다.
따라서 소리와 글자를 연결하기 위해 많이 듣고, 보고, 소리 내어 읽으며 익히는 과정이 중요합니다. 이 책에서는 그 방법을 차근차근 안내합니다. 반드시 소리 내어 읽으면서 쓰고 익히다 보면 한글 떼기와 바른 글씨는 물론 국어의 기초까지 튼튼해집니다.

★ 받침 없는 글자로 시작, 받침 있는 글자까지 완성

1권 받침 없는 글자에서는 모음자부터 자음자, 글자의 결합, 받침 없는 글자로 하는 다양한 말놀이를 경험하며 글자를 익힙니다. 2권 받침 있는 글자에서는 발음이 쉬운 받침과 발음이 같은 받침끼리 모아 연습하고, 쌍받침과 겹받침까지 만나 봅니다.

★ 1학년 교과서 낱말 익히기

개정된 국어 교과서뿐만 아니라 수학, 학교, 사람들, 우리나라, 탐험으로 개정된 통합 교과에 등장하는 낱말을 모아 구성하였습니다.

★ 재미있고 실감 나는 표현

요기조기, 뽀그르르, 주렁주렁, 허겁지겁… 소리와 모양을 흉내 내는 의성어와 의태어, 리듬감을 느낄 수 있는 첩어를 이용한 학습으로 말 재미를 경험할 수 있습니다.

★ 긴장하지 않는 받아쓰기 비법

1학년 받아쓰기 시간에는 조용한 긴장감이 교실에 가득 차곤 합니다. 하지만 이 책에서 받아쓰기를 놀이처럼 만나 봤던 어린이들에게는 자신감이 가득한 순간이 될 겁니다.

매일 읽고 쓰는 한글은 자신감이 무엇보다 중요합니다.
<한글 자신감>으로 1승, 2승을 그리고 완승하기를 바랍니다.

초등 교사이자 두 초등학생의 엄마 **맘앤티처 유정** 드림

어린이 알림장

한글을 혼자 읽고 쓰면 할 수 있는 것들!

★ 어떤 이름이라도 쓸 수 있어요.

나의 이름은 물론 가족, 친구의 이름을 읽고 쓸 수 있어요. 내가 좋아하는 장난감과 인형의 이름도 읽고 쓸 수 있어요. 반듯하게 내 물건의 이름을 쓰고 이름표를 만들어 가족들 앞에서 큰 소리로 읽으며 자랑해 보세요.

★ 책을 읽을 수 있어요.

언제든 원하는 만큼 혼자서 책을 읽을 수 있어요. 전래 동화, 과학책, 으스스한 공포 이야기까지 엄마 몰래 들춰보며 호랑이와 만나고 우주여행도 해보세요. 한글을 알면 책을 펼칠 때마다 새로운 세상이 펼쳐집니다.

★ 내 생각을 글로 표현할 수 있어요.

또박또박 글씨를 써서 고마운 마음이 담긴 편지를 부모님께 전할 수 있어요. 미안한 친구에게 사과 편지도 쓸 수 있고, 내 생일 초대장도 쓸 수 있어요. 하루를 보내며 꼭 기억하고 싶은 일과 소중한 내 마음을 일기로 쓸 수 있어요.

★ 공부에 자신감이 생겨요.

한글을 스스로 읽고 쓰면 수학 공부도 스스로 할 수 있어요. 다른 공부에도 자신감이 쑥쑥 생겨요. 궁금한 것도 많아져서 더 찾아 읽고 싶어져요.

이 책은 한 단원이 1승으로 구성되어 있어요. 선생님과 한 단원씩 1승, 2승, 3승… 완승까지 가는 거예요. 1승을 마치면 트로피 스티커로 스스로를 칭찬하면서 완승을 향해 출발! <한글 자신감>과 함께 체계적이고 즐거운 한글 공부 시작해 볼까요?

한글 자신감, 이렇게 시작하세요

한글 습득 과정에 맞춘 단계별 학습

모음자(자음자) 쓰기부터 **글자 만들기, 낱말 쓰기, 낱말 놀이**까지 단계별로 차근차근 한글을 쓰면서 익힙니다. ㄱ, ㅋ / ㄴ, ㄷ, ㅌ 처럼 발음과 모양이 비슷한 자음끼리 모아 연습하면서 학습 효과를 높이고, 즐거운 말놀이로 한글을 완성합니다.

다채로운 말놀이로 익히는 신나는 학습

낱말 퍼즐, 낱말 찾기, 초성 맞히기 등의 다양한 놀이 활동으로 재미있게 복습하면서 모음자, 자음자를 내 것으로 만듭니다.

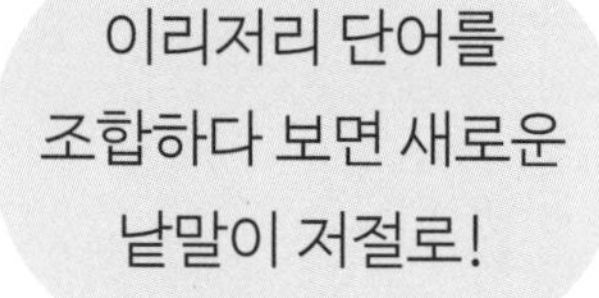

배운 단어를
글자판에서 찾아보며
복습이 저절로!

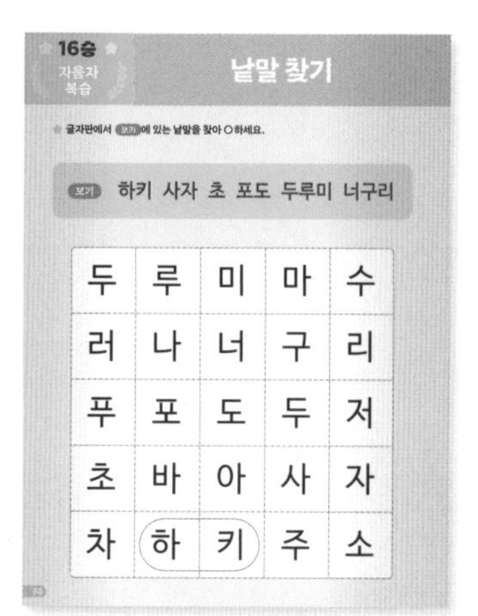

받침 없는 글자로 만나는 자신감 학습

받침 없는 글자만 정확히 알아도 한글 학습의 절반을 완성한 것이나 다름없습니다. 모음자, 자음자, 복잡한 모음까지 익힌 다음, 교과서 낱말로 다양한 국어 활동을 경험해 보세요.

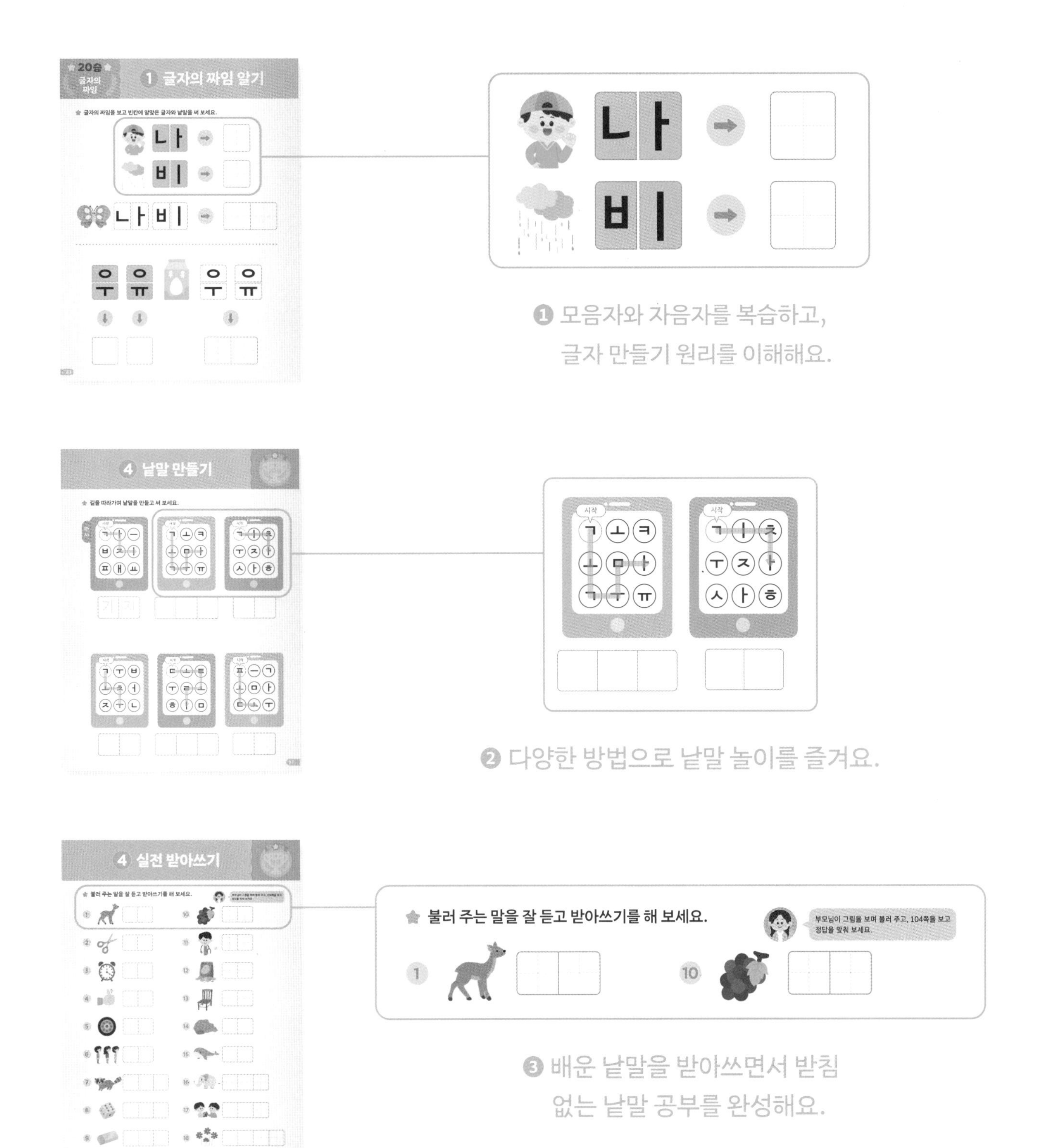

❶ 모음자와 자음자를 복습하고, 글자 만들기 원리를 이해해요.

❷ 다양한 방법으로 낱말 놀이를 즐겨요.

❸ 배운 낱말을 받아쓰면서 받침 없는 낱말 공부를 완성해요.

준비 학습

승	내용	쪽수	공부한 날	내 사인
1승	선 긋기	8-11쪽	월 일	
2승	자음자, 모음자	12-15쪽	월 일	

모음자

승	내용	쪽수	공부한 날	내 사인
3승	모음자 ㅏ, ㅑ	16-19쪽	월 일	
4승	모음자 ㅓ, ㅕ	20-23쪽	월 일	
5승	모음자 ㅗ, ㅛ	24-27쪽	월 일	
6승	모음자 ㅜ, ㅠ	28-31쪽	월 일	
7승	모음자 ㅡ, ㅣ	32-35쪽	월 일	
8승	모음자 복습	36-39쪽	월 일	

★ 자음자

승	내용	쪽수	공부한 날	내 사인
9승	자음자 ㄱ, ㅋ	40-43쪽	월 일	
10승	자음자 ㄴ, ㄷ, ㅌ	44-47쪽	월 일	
11승	자음자 ㅁ, ㅂ, ㅍ	48-51쪽	월 일	
12승	자음자 ㅅ, ㅈ, ㅊ	52-55쪽	월 일	
13승	자음자 ㅇ, ㅎ, ㄹ	56-59쪽	월 일	
14승	자음자 ㄲ, ㄸ, ㅃ	60-63쪽	월 일	
15승	자음자 ㅆ, ㅉ	64-67쪽	월 일	
16승	자음자 복습	68-71쪽	월 일	

★ 복잡한 모음

승	내용	쪽수	공부한 날	내 사인
17승	복잡한 모음 ㅐ, ㅔ, ㅒ, ㅖ	72-75쪽	월 일	
18승	복잡한 모음 ㅘ, ㅝ, ㅚ, ㅙ, ㅞ	76-79쪽	월 일	
19승	복잡한 모음 ㅟ, ㅢ	80-83쪽	월 일	

★ 받침 없는 글자 정복

승	내용	쪽수	공부한 날	내 사인
20승	글자의 짜임	84-87쪽	월 일	
21승	글씨 연습	88-91쪽	월 일	
22승	초성 퀴즈	92-95쪽	월 일	
23승	의성어, 의태어, 동시 쓰기	96-99쪽	월 일	
완승	받아쓰기	100-103쪽	월 일	

1 자유 선 긋기

★ 여러 가지 색연필로 종이 가득 자유롭게 선을 그어 보세요.

보기

2 곧은 선 긋기

★ 여러 가지 색연필로 종이 가득 곧은 선을 그어 보세요.

보기

3 꺾은선 긋기

★ 여러 가지 색연필로 위로 꺾은선과 아래로 꺾은선을 그어 보세요.

4 둥근 선 긋기

★ 여러 가지 색연필로 둥근 선을 겹치지 않게 꽉 채워 그어 보세요.

보기

1 자음자 ㄱ~ㅅ

자음자를 소리 내어 읽으면서 순서에 맞게 써 보세요.

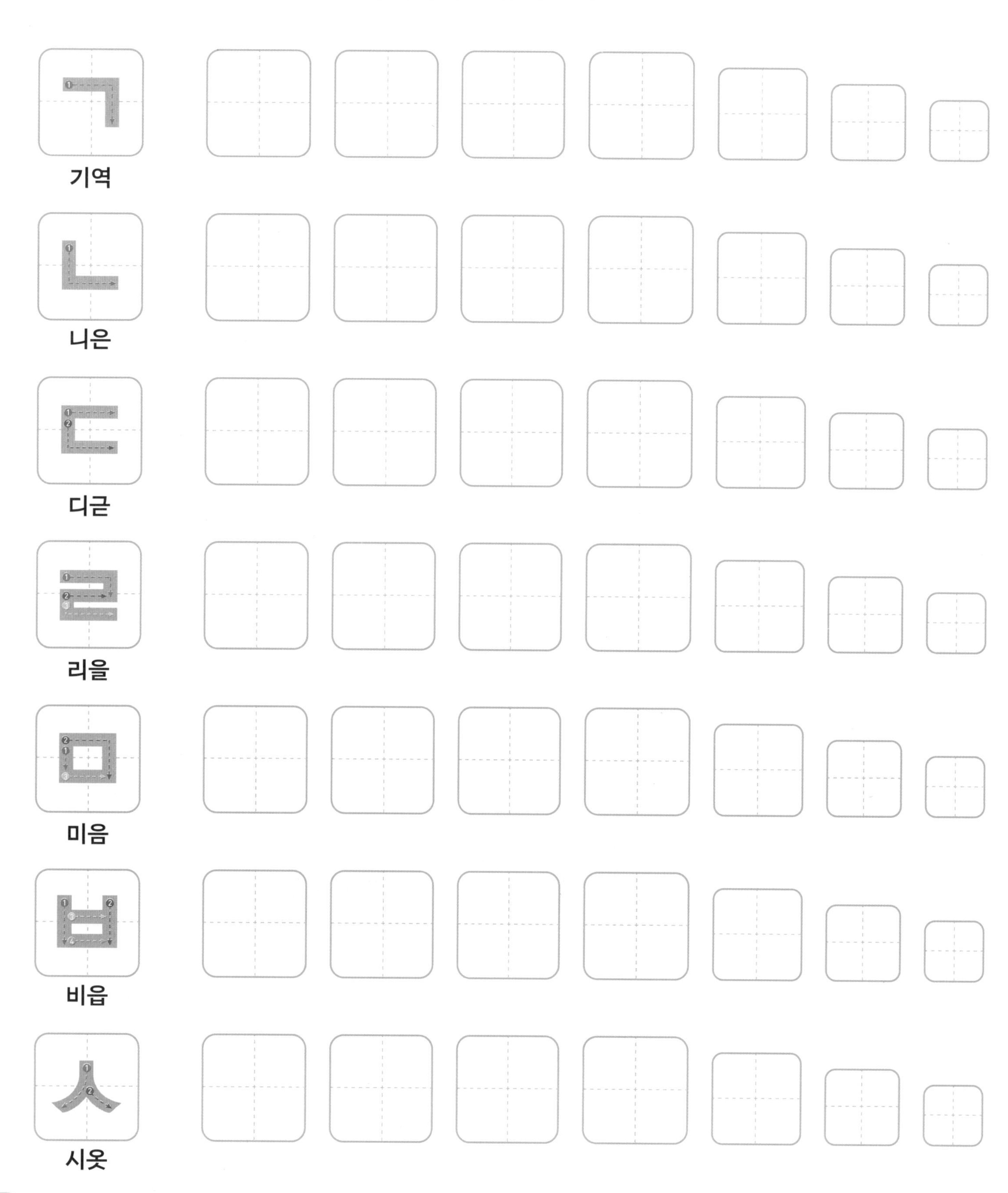

2 자음자 ㅇ~ㅎ

★ 자음자를 소리 내어 읽으면서 순서에 맞게 써 보세요.

3 모음자 ㅏ~ㅗ

모음자를 소리 내어 읽으면서 순서에 맞게 써 보세요.

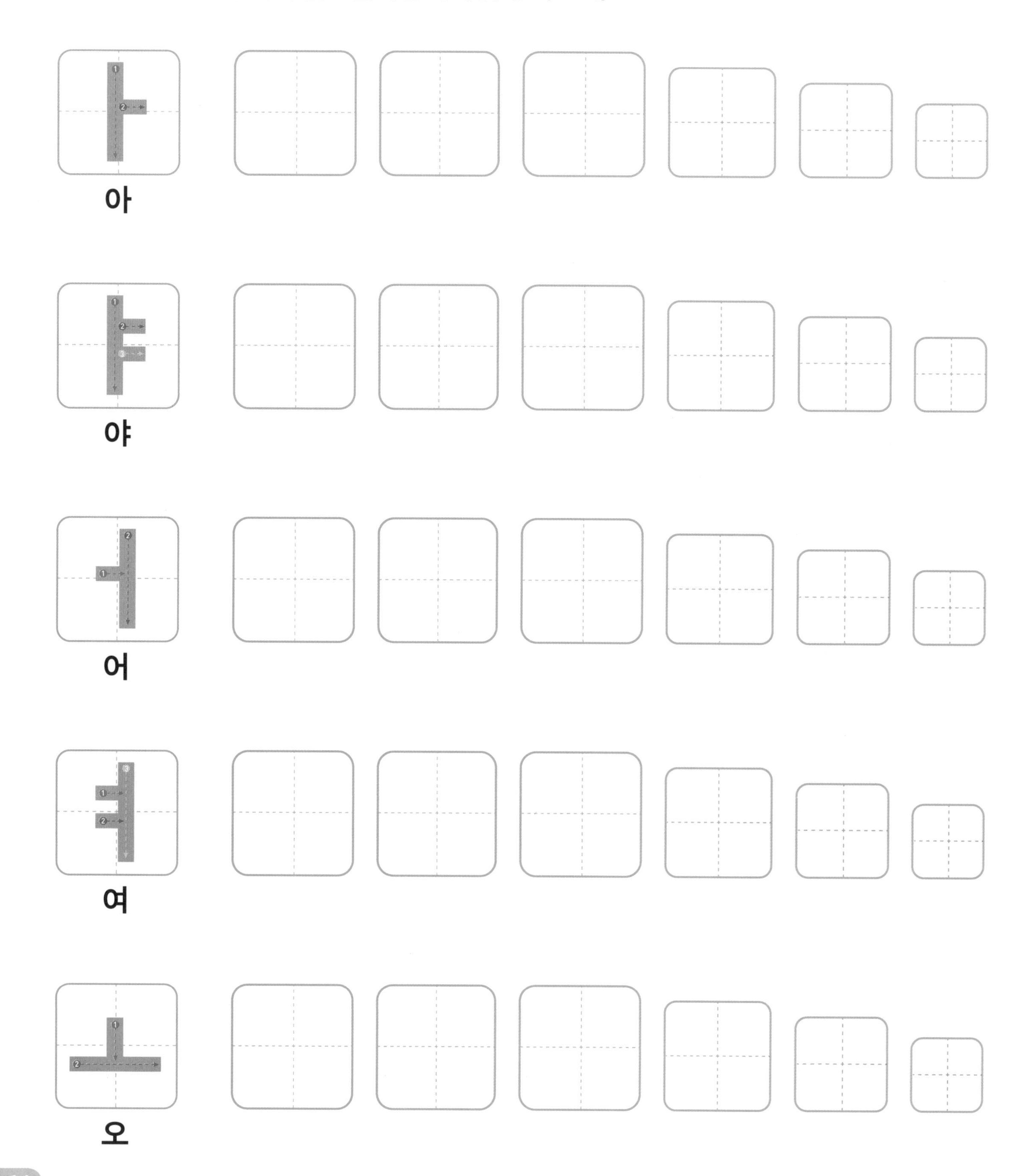

4 모음자 ㅛ~ㅣ

★ 모음자를 소리 내어 읽으면서 순서에 맞게 써 보세요.

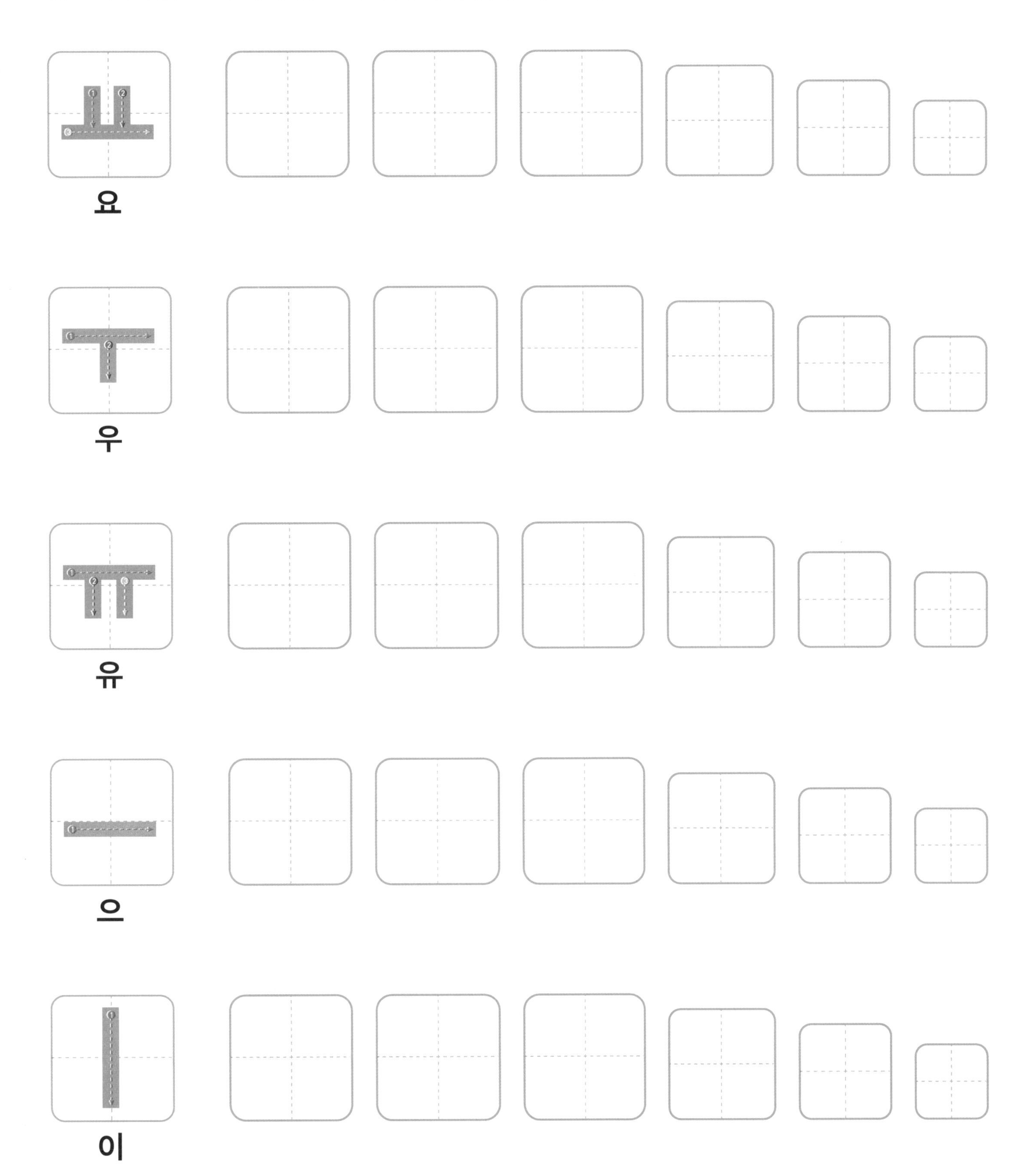

1 모음자 ㅏ 쓰기

소리 내어 읽으면서 순서에 맞게 써 보세요.

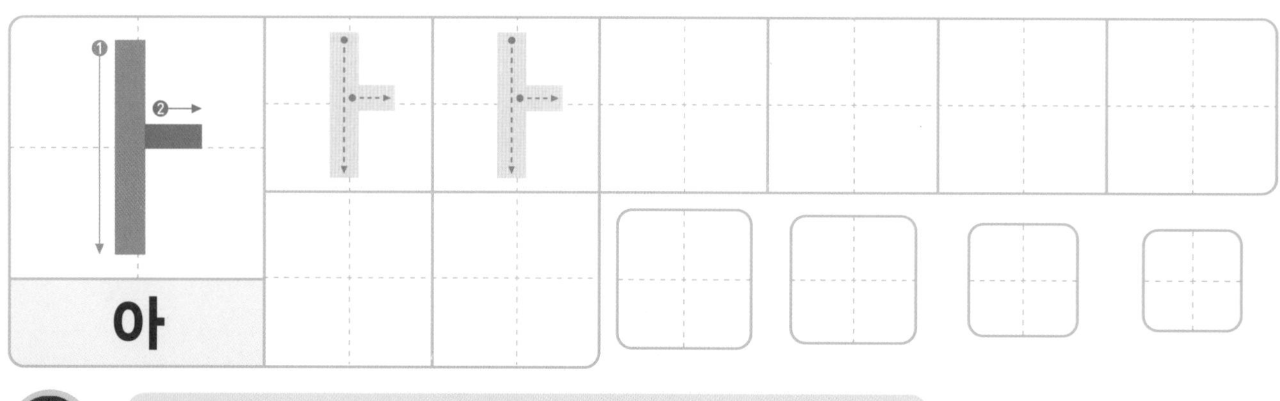

모음자 쓰기는 바른 글씨의 시작입니다. 모음자를 쓸 때는 곧고 길게! 칸에 꽉 찰 정도로 큼직하게 써요.
여러 번 쓰기 연습을 할 수 있게 빈칸이 제시되어 있지만 아이의 수준에 맞추어 쓰기 횟수를 조절해 주세요.

ㅏ를 써서 글자를 만들고 읽어 보세요.

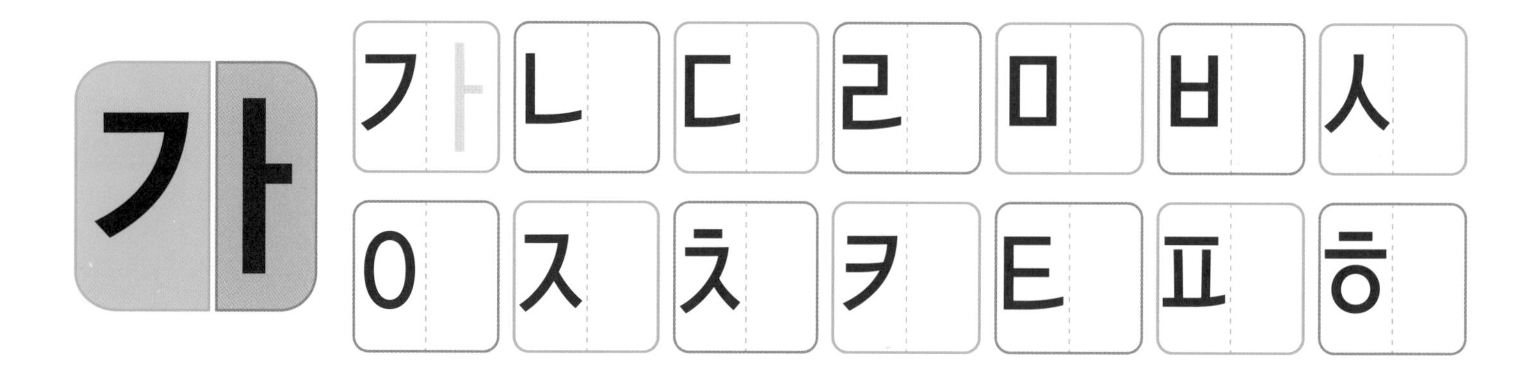

빈 곳에 ㅏ를 쓰고, 낱말을 읽어 보세요.

2 모음자 ㅑ 쓰기

★ 소리 내어 읽으면서 순서에 맞게 써 보세요.

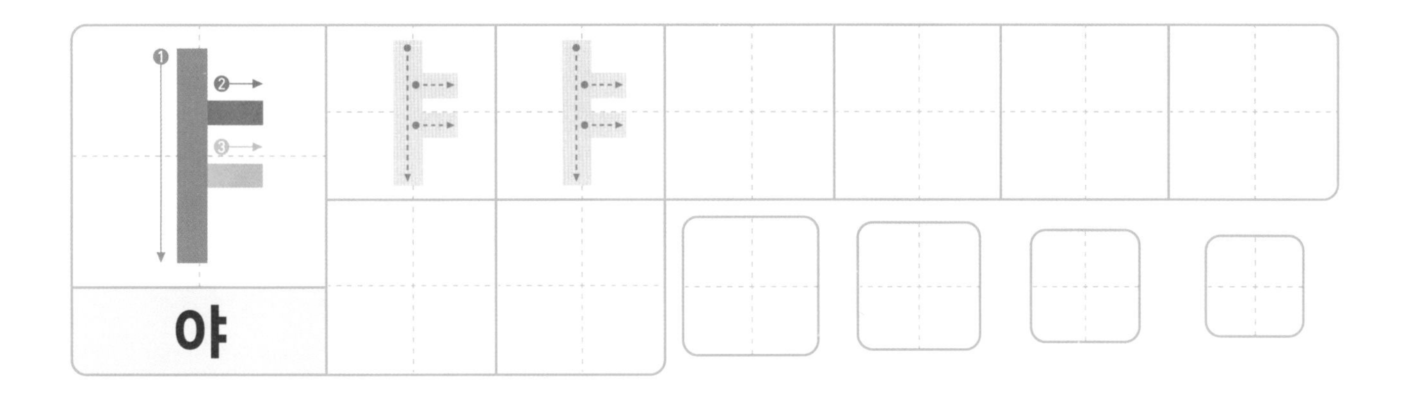

★ ㅑ를 써서 글자를 만들고 읽어 보세요.

★ 빈 곳에 ㅑ를 쓰고, 낱말을 읽어 보세요.

3 낱말 쓰기

그림을 보고 ㅏ, ㅑ를 알맞게 넣어 낱말을 완성하고 읽어 보세요.

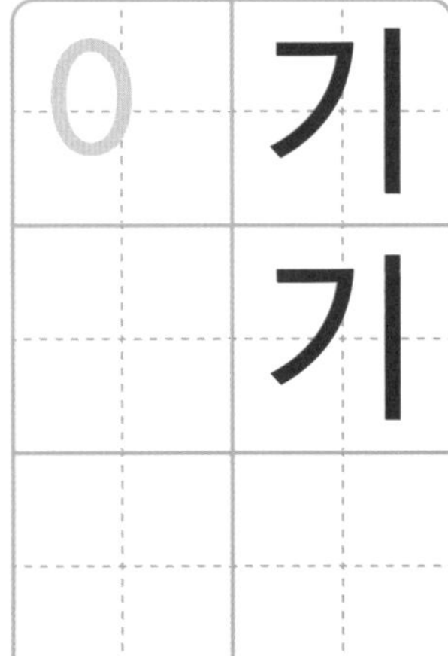

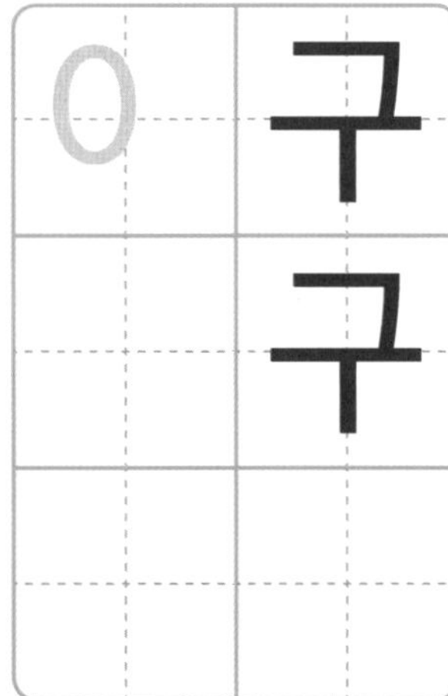

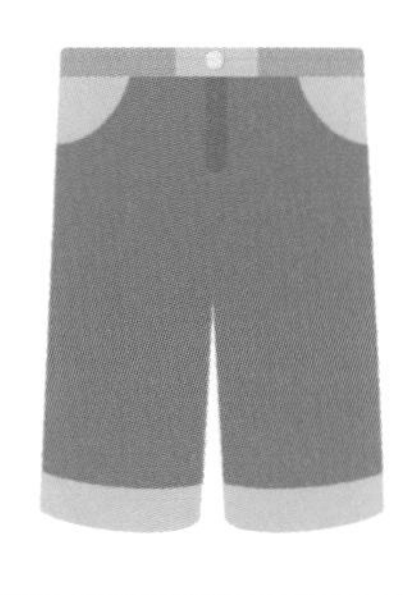

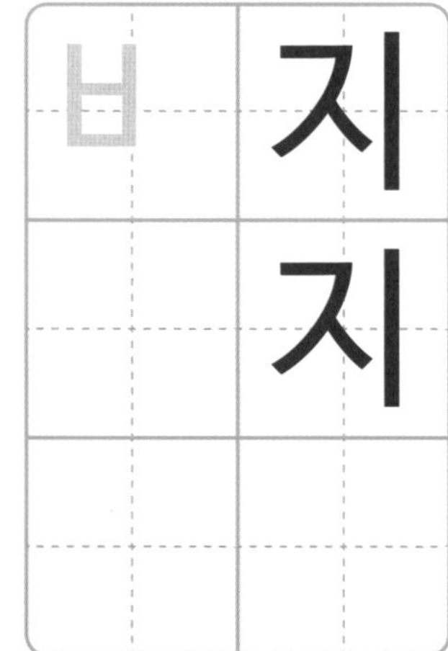

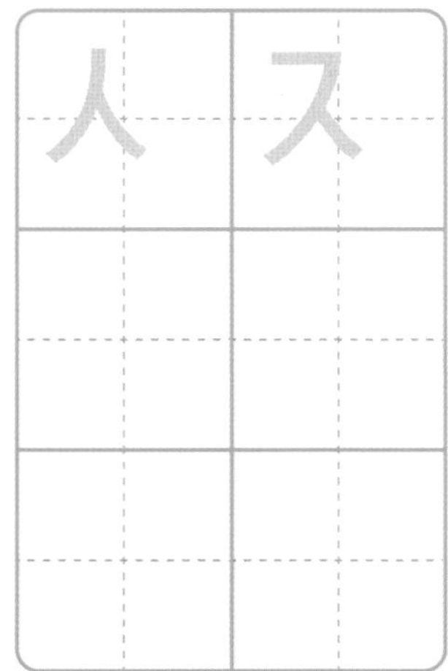

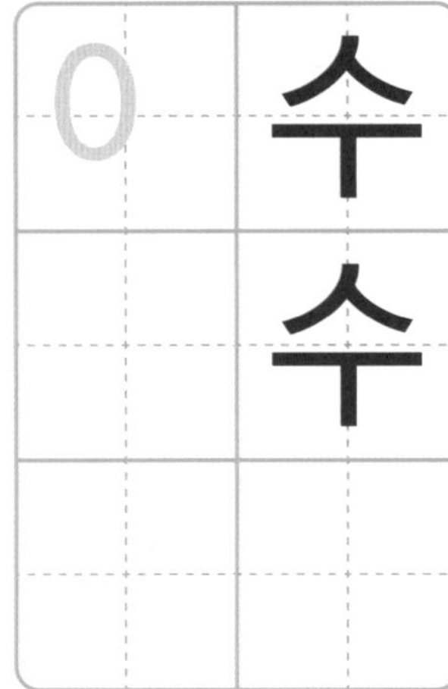

ㅇ	ㅈ	수
		수

이	ㅇ	기
이		기

4 낱말 놀이

★ 모음자 ㅏ 또는 ㅑ가 있는 글자를 보기 에서 찾아 재미있는 표현을 완성해 보세요.

보기 마 하 랴 나 아 냐 야

흉내 내는 말인 의성어, 의태어와 한 단어가 반복적으로 나오는 첩어 등을 만들며, 한글의 말 재미를 느껴 보세요.

마	구	마	구
오	냐	오	냐
이	랴	이	랴
야	야	야	야
하	나	하	나
아	하	하	

	구		구
오		오	
이		이	

1 모음자 ㅓ 쓰기

소리 내어 읽으면서 순서에 맞게 써 보세요.

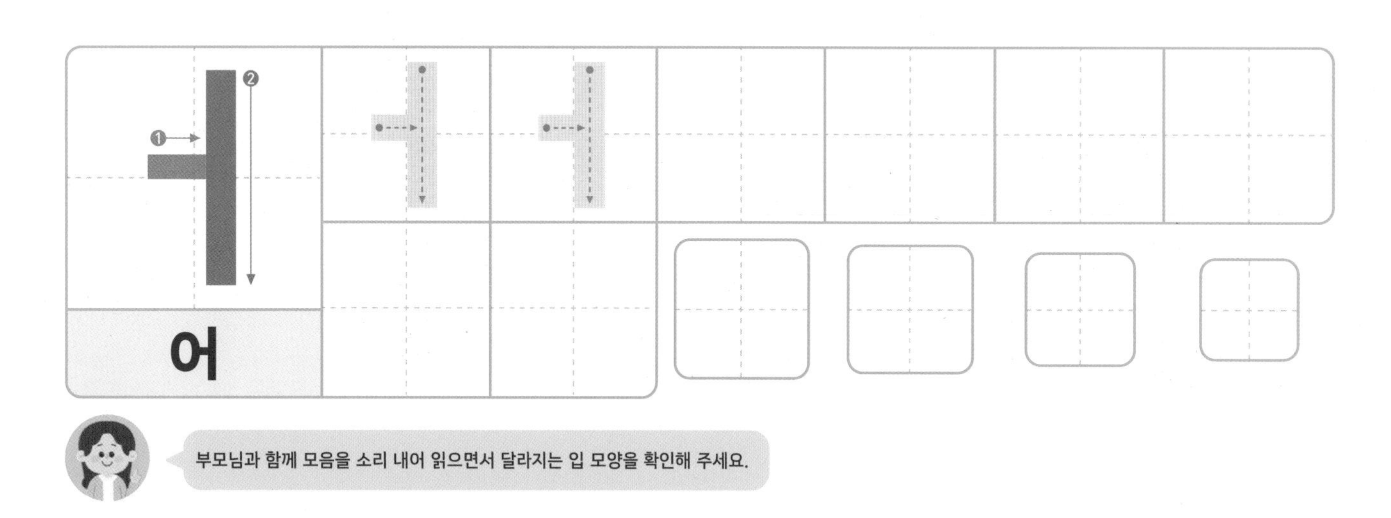

부모님과 함께 모음을 소리 내어 읽으면서 달라지는 입 모양을 확인해 주세요.

ㅓ를 써서 글자를 만들고 읽어 보세요.

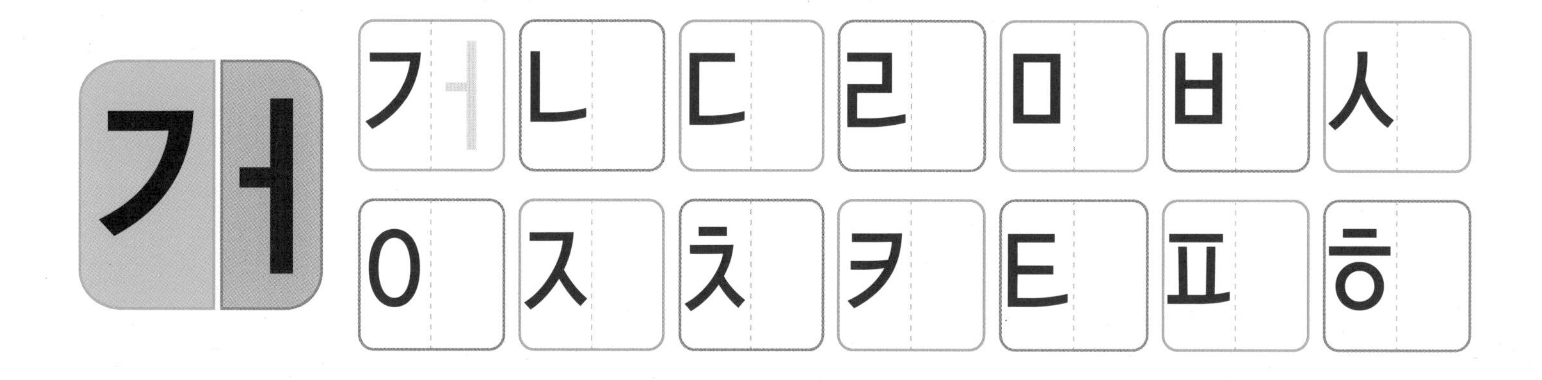

빈 곳에 ㅓ를 쓰고, 낱말을 읽어 보세요.

2 모음자 ㅕ 쓰기

소리 내어 읽으면서 순서에 맞게 써 보세요.

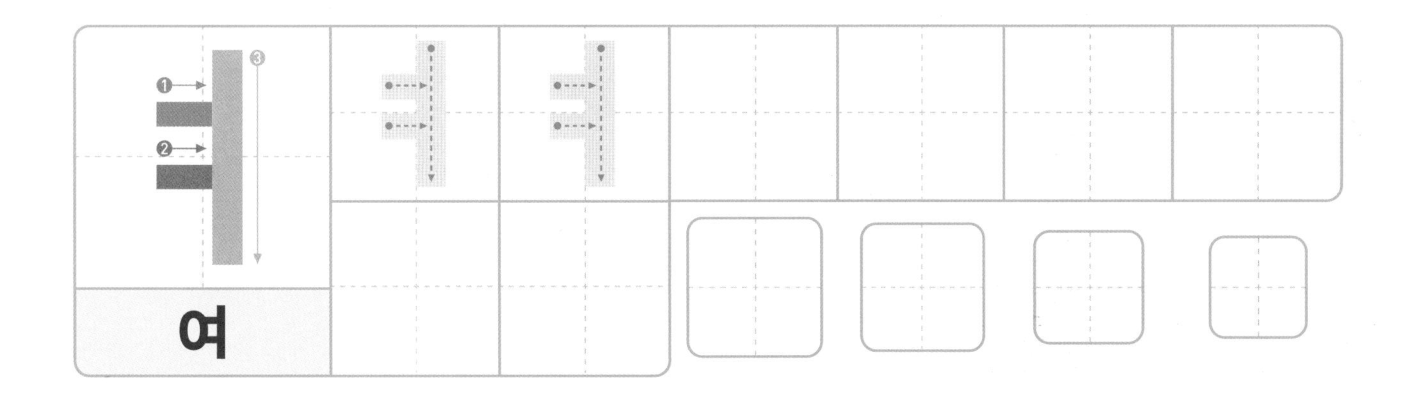

ㅕ를 써서 글자를 만들고 읽어 보세요.

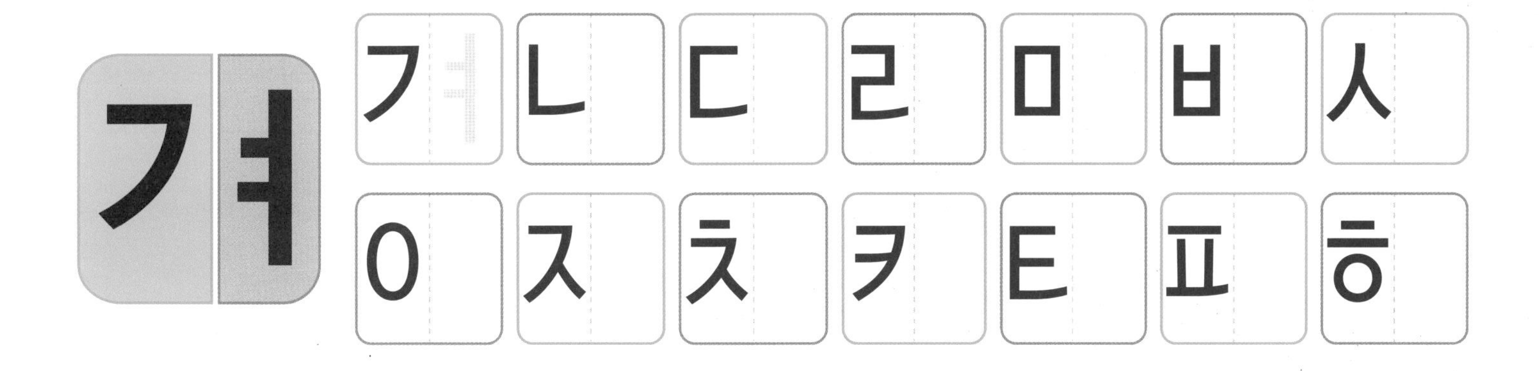

빈 곳에 ㅕ를 쓰고, 낱말을 읽어 보세요.

3 낱말 쓰기

그림을 보고 ㅓ, ㅕ를 알맞게 넣어 낱말을 완성하고 읽어 보세요.

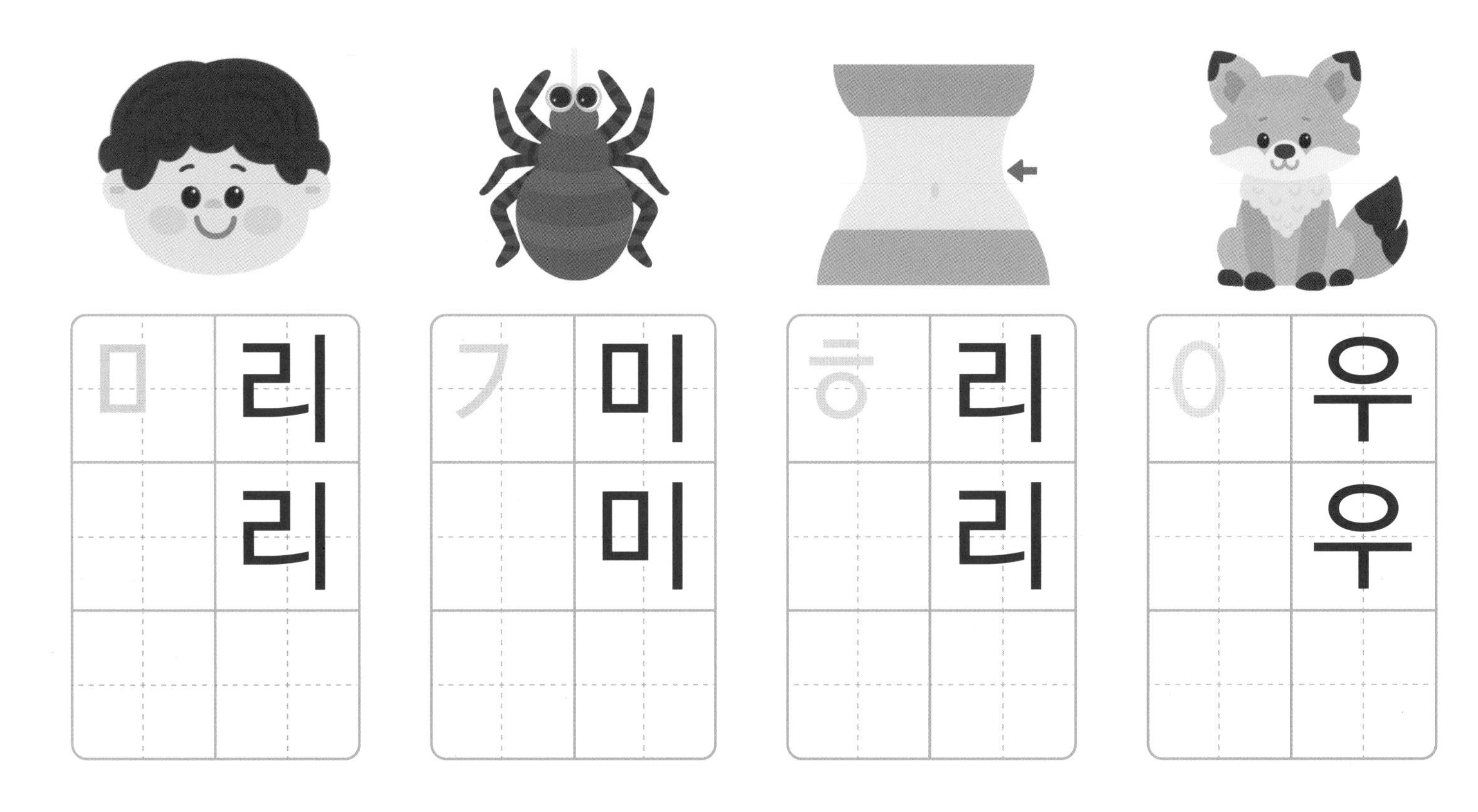

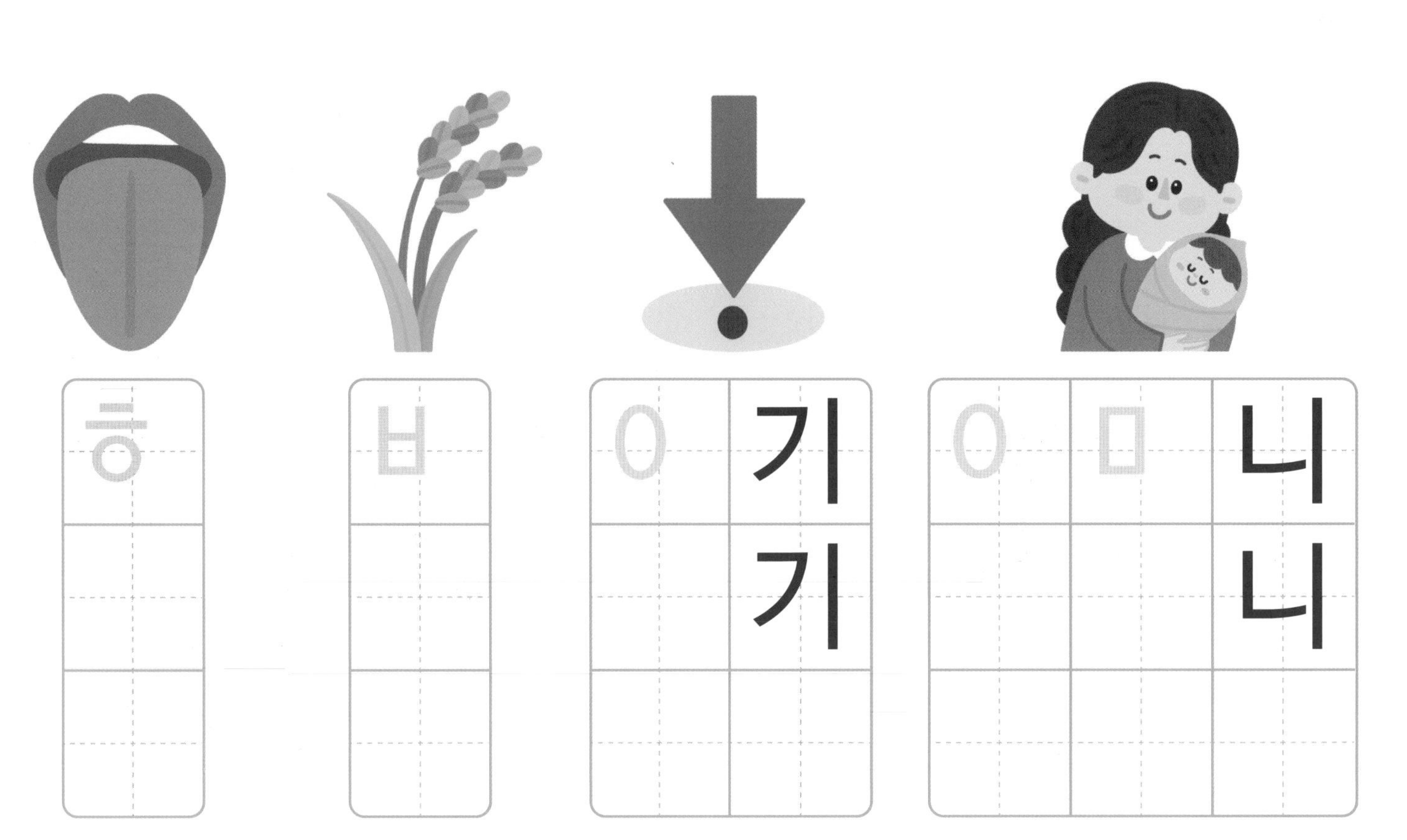

4 낱말 놀이

모음자 ㅓ 또는 ㅕ가 있는 글자를 보기 에서 찾아 재미있는 표현을 완성해 보세요.

보기 며 서 여 어 허 저

어	디	어	디
어	푸	어	푸
어	서	어	서
어	허	어	허
여	기	저	기
오	며	가	며

	디		디
	푸		푸
	기		기
오		가	

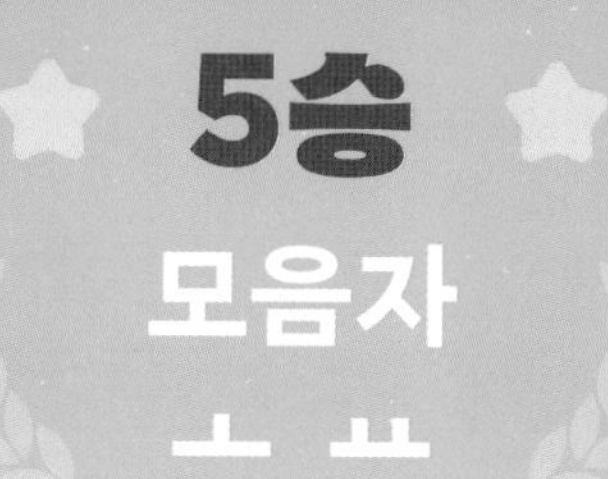

1 모음자 ㅗ 쓰기

소리 내어 읽으면서 순서에 맞게 써 보세요.

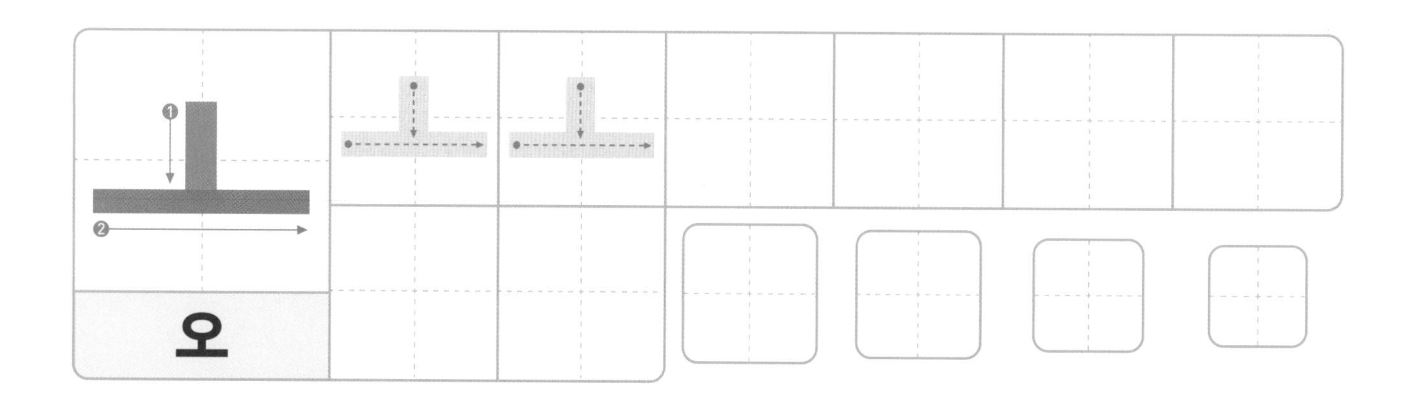

ㅗ를 써서 글자를 만들고 읽어 보세요.

빈 곳에 ㅗ를 쓰고, 낱말을 읽어 보세요.

2 모음자 ㅛ 쓰기

소리 내어 읽으면서 순서에 맞게 써 보세요.

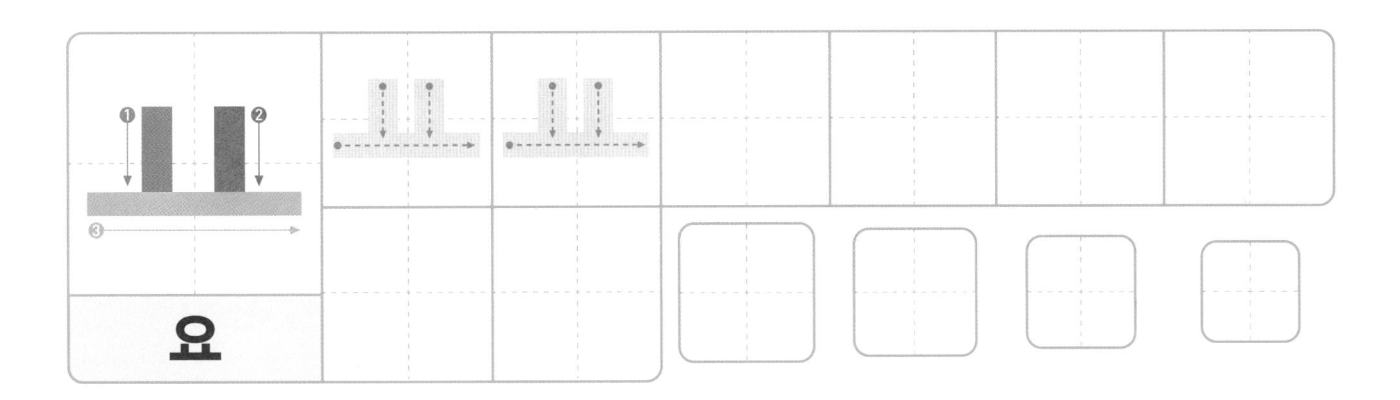

ㅛ를 써서 글자를 만들고 읽어 보세요.

빈 곳에 ㅛ를 쓰고, 낱말을 읽어 보세요.

3 낱말 쓰기

★ 그림을 보고 ㅗ, ㅛ를 알맞게 넣어 낱말을 완성하고 읽어 보세요.

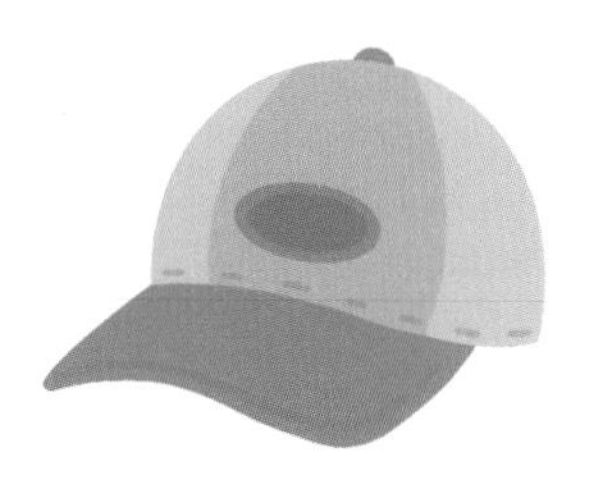

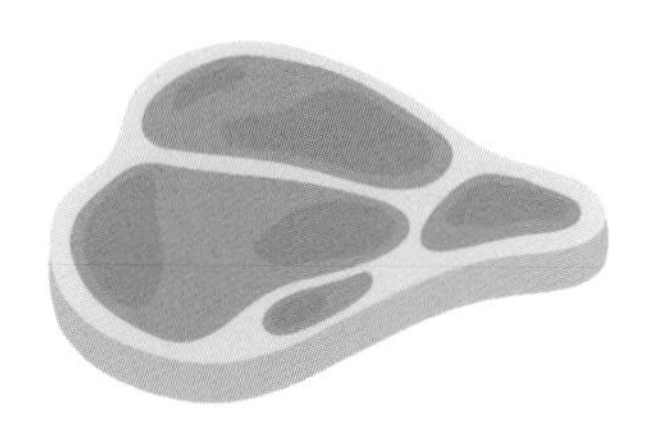

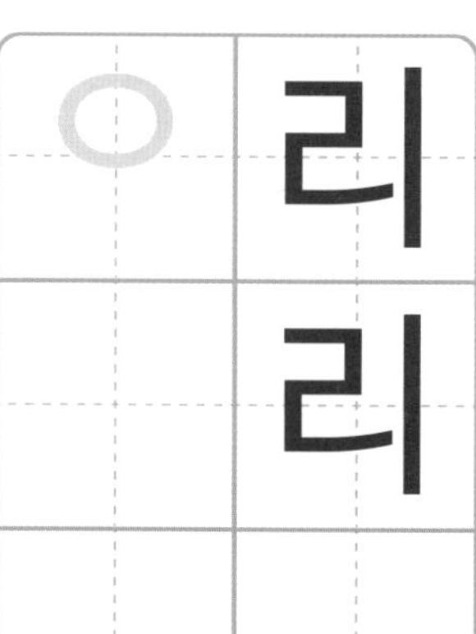

ㅇ	리
	리

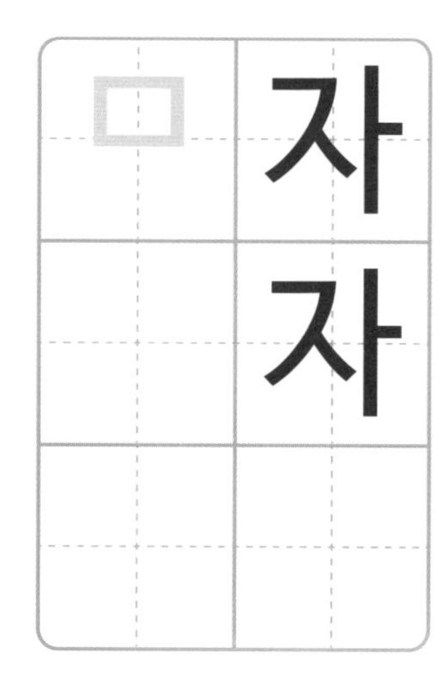

ㅁ	자
	자

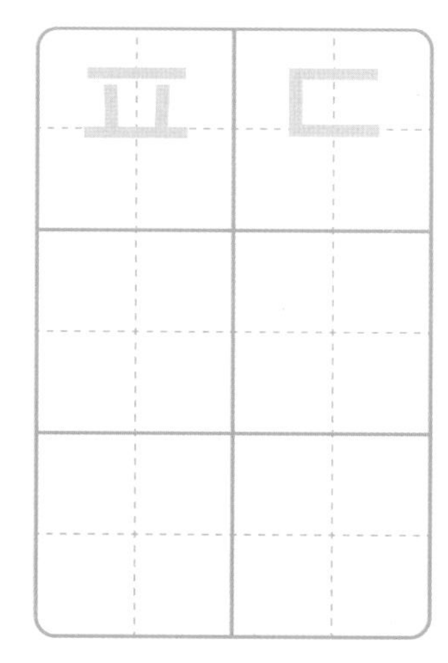

ㅍ	ㄷ

ㄱ	기
	기

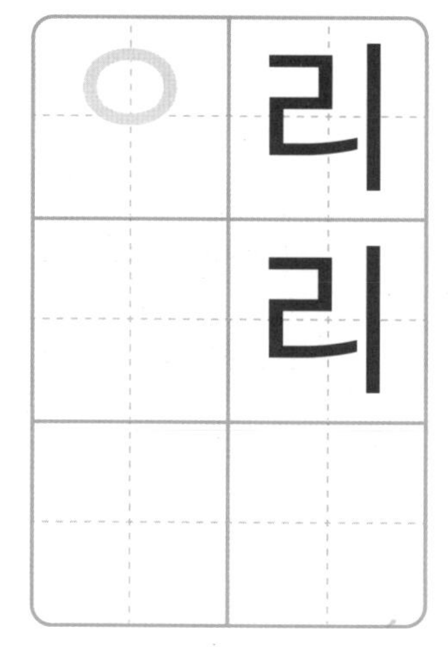

ㅇ	리
	리

ㄷ	ㅌ	리
		리

ㄱ	과	서
	과	서

4 낱말 놀이

모음자 ㅗ 또는 ㅛ가 있는 글자를 보기 에서 찾아 재미있는 표현을 완성해 보세요.

보기 조 요 고 도

드	리	드	리
즈	마	즈	마
그	래	그	래
으	리	즈	리
으	기	으	기
즈	르	르	

	리		리
	마		마
	래		래
	리		리
	기		기
	르	르	

1 모음자 ㅜ 쓰기

★ 소리 내어 읽으면서 순서에 맞게 써 보세요.

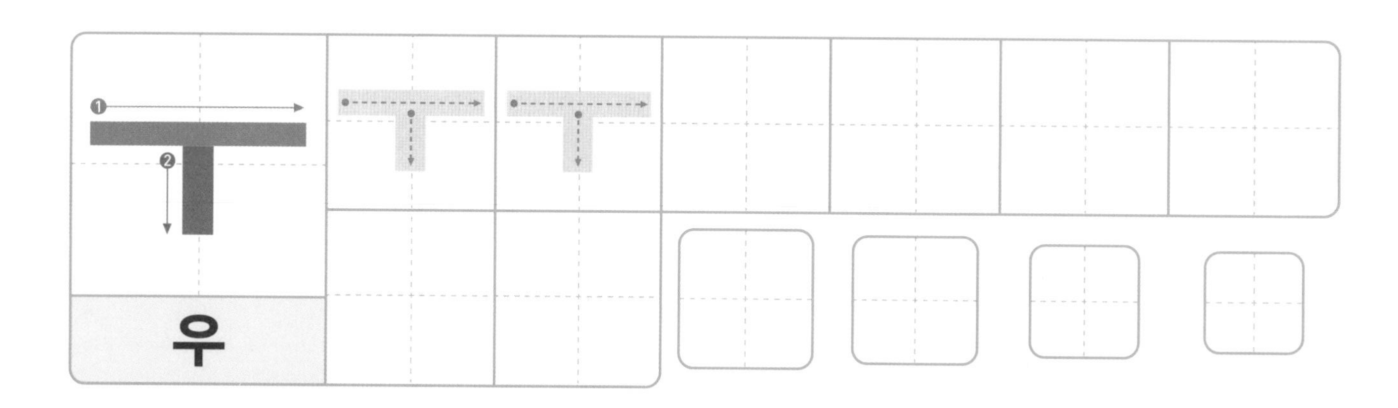

★ ㅜ를 써서 글자를 만들고 읽어 보세요.

★ 빈 곳에 ㅜ를 쓰고, 낱말을 읽어 보세요.

2 모음자 ㅠ 쓰기

소리 내어 읽으면서 순서에 맞게 써 보세요.

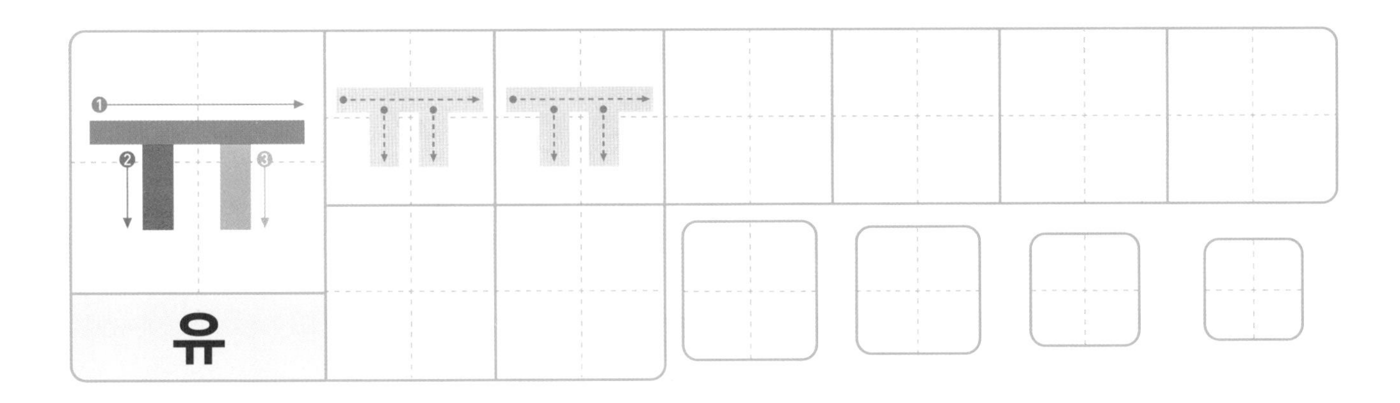

ㅠ를 써서 글자를 만들고 읽어 보세요.

빈 곳에 ㅠ를 쓰고, 낱말을 읽어 보세요.

3 낱말 쓰기

★ 그림을 보고 ㅜ, ㅠ를 알맞게 넣어 낱말을 완성하고 읽어 보세요.

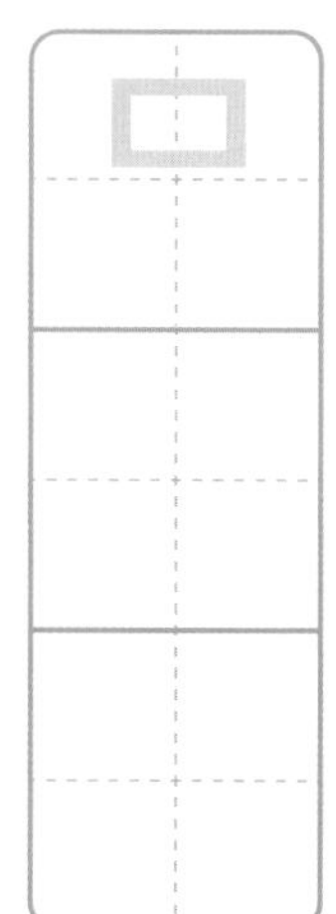

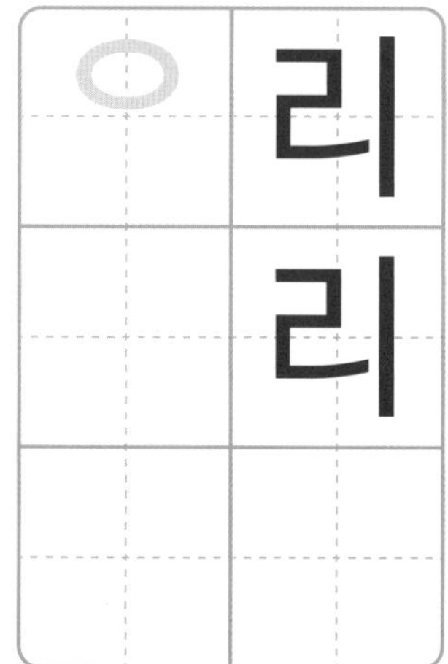

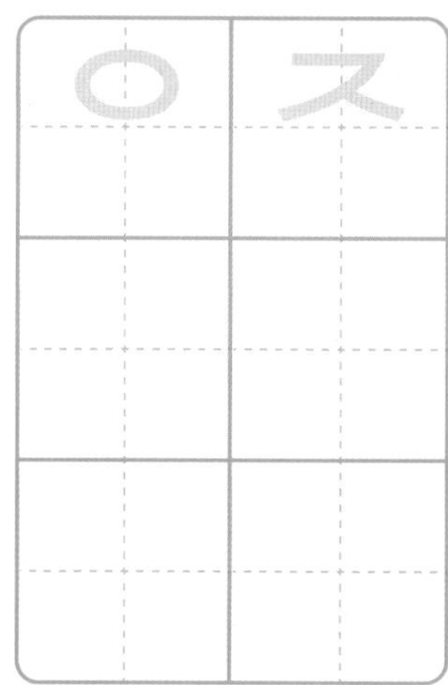

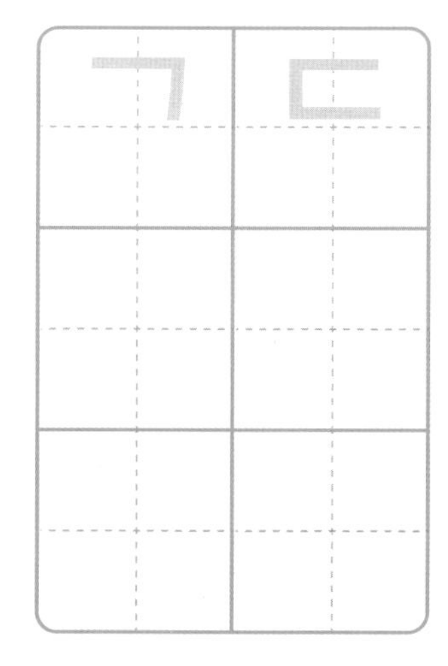

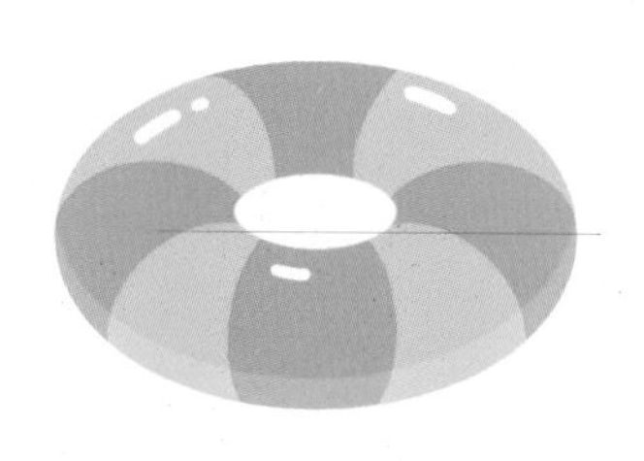

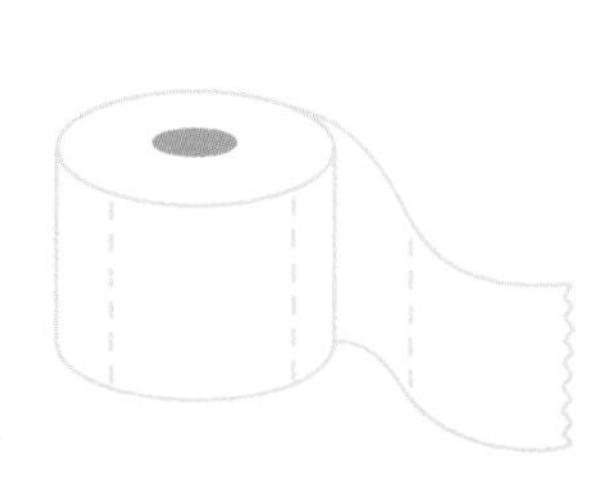

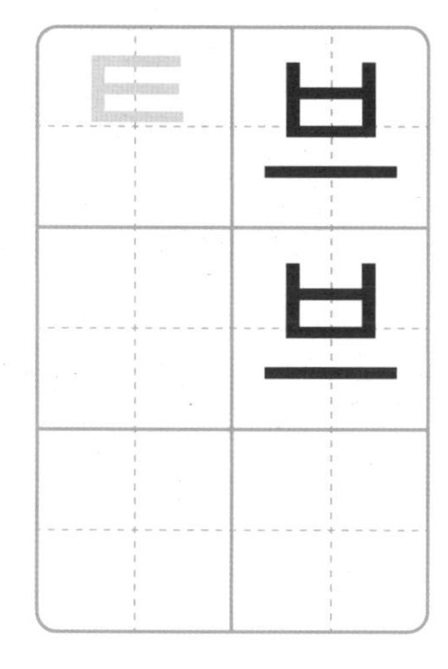

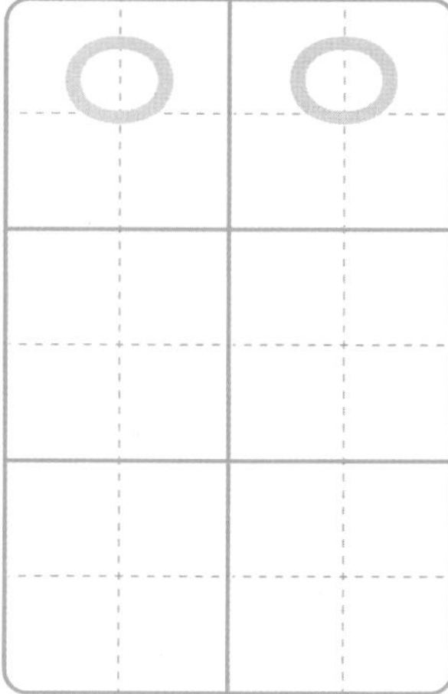

4 낱말 놀이

★ 모음자 ㅜ 또는 ㅠ가 있는 글자를 보기 에서 찾아 재미있는 표현을 완성해 보세요.

보기 유 부 구 루 수 휴 우 후

우	수	수	
에	구	구	
부	랴	부	랴
떼	구	루	루
어	휴	어	휴
후	유	후	유

에			
	랴		랴
떼			
어		어	

1 모음자 ㅡ 쓰기

★ 소리 내어 읽으면서 순서에 맞게 써 보세요.

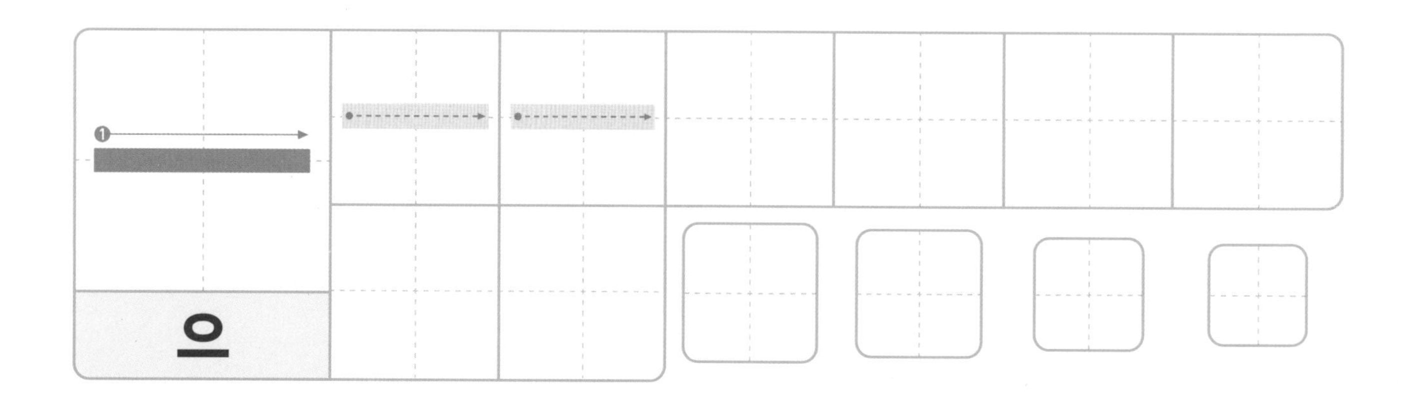

★ ㅡ를 써서 글자를 만들고 읽어 보세요.

★ 빈 곳에 ㅡ를 쓰고, 낱말을 읽어 보세요.

2 모음자 ㅣ 쓰기

★ 소리 내어 읽으면서 순서에 맞게 써 보세요.

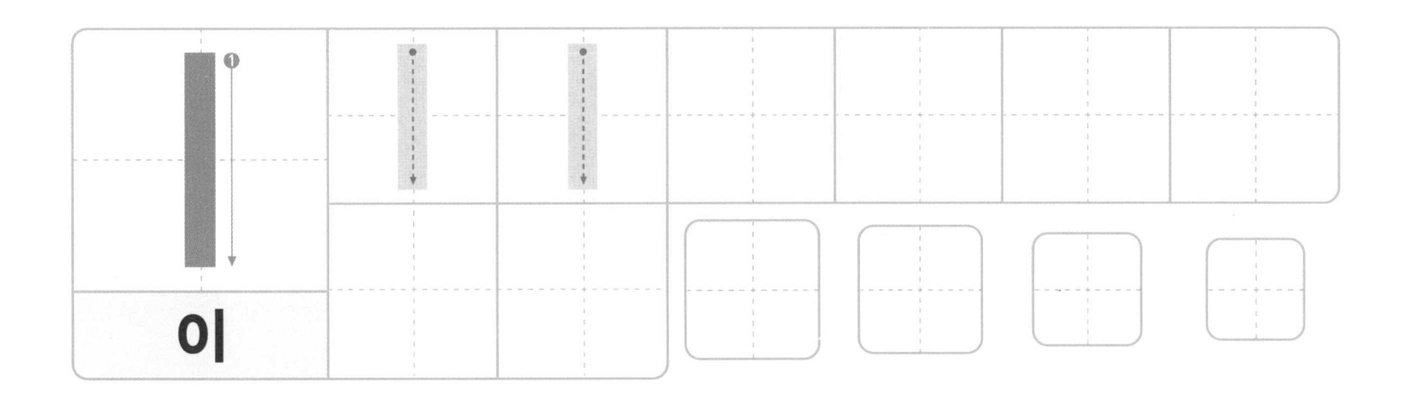

★ ㅣ를 써서 글자를 만들고 읽어 보세요.

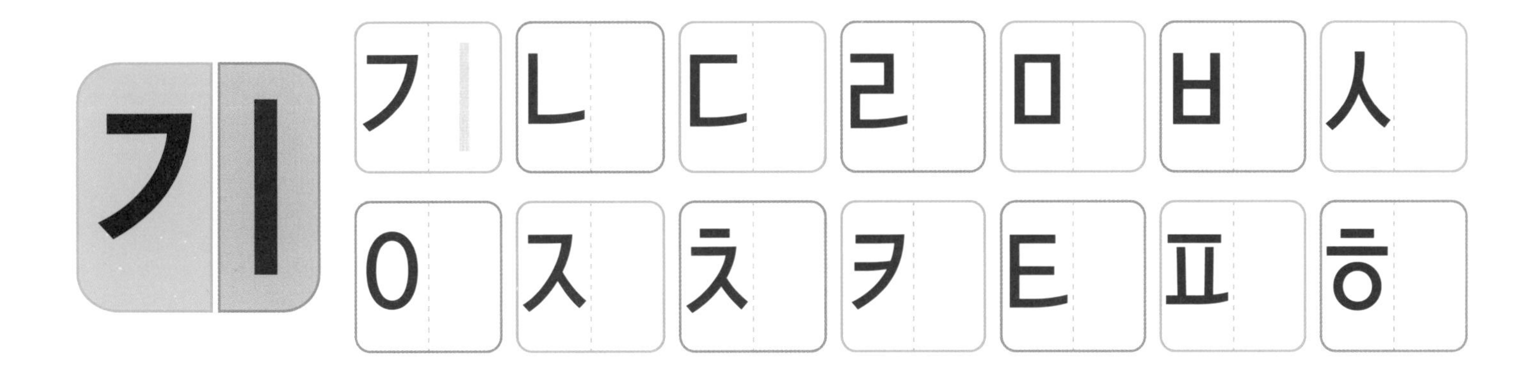

★ 빈 곳에 ㅣ를 쓰고, 낱말을 읽어 보세요.

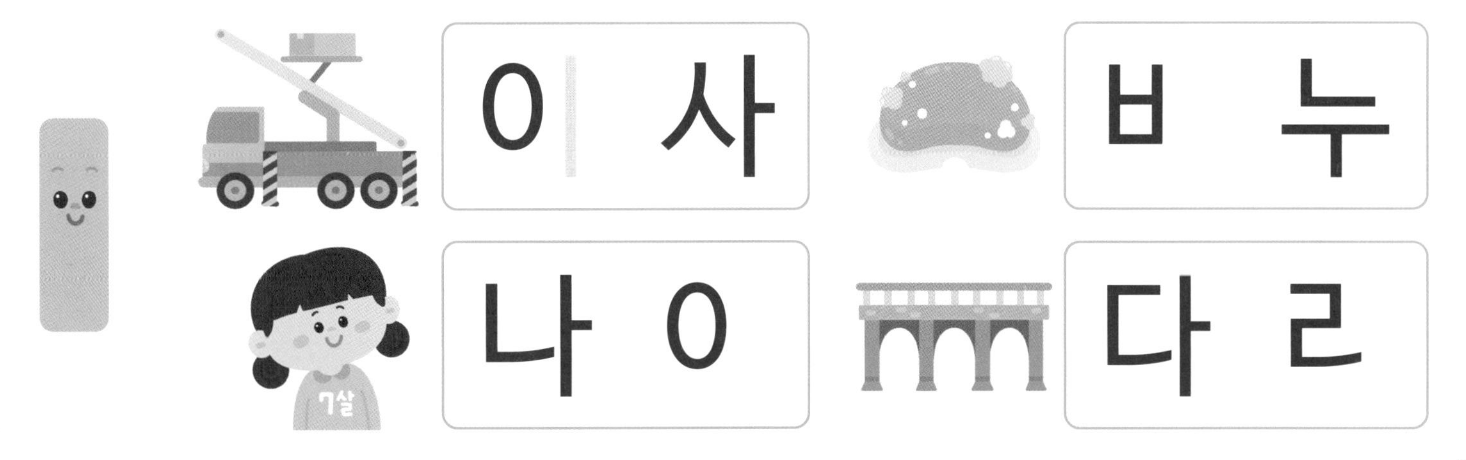

3 낱말 쓰기

그림을 보고 ㅡ, ㅣ를 알맞게 넣어 낱말을 완성하고 읽어 보세요.

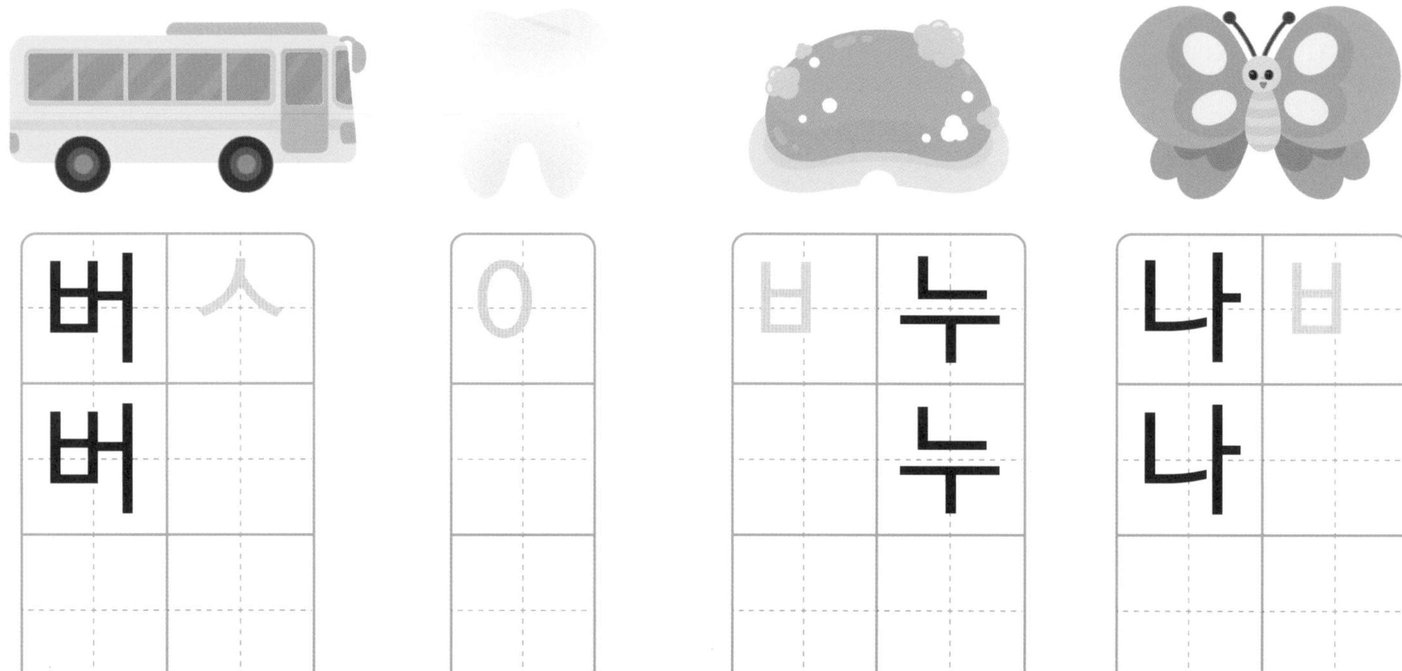

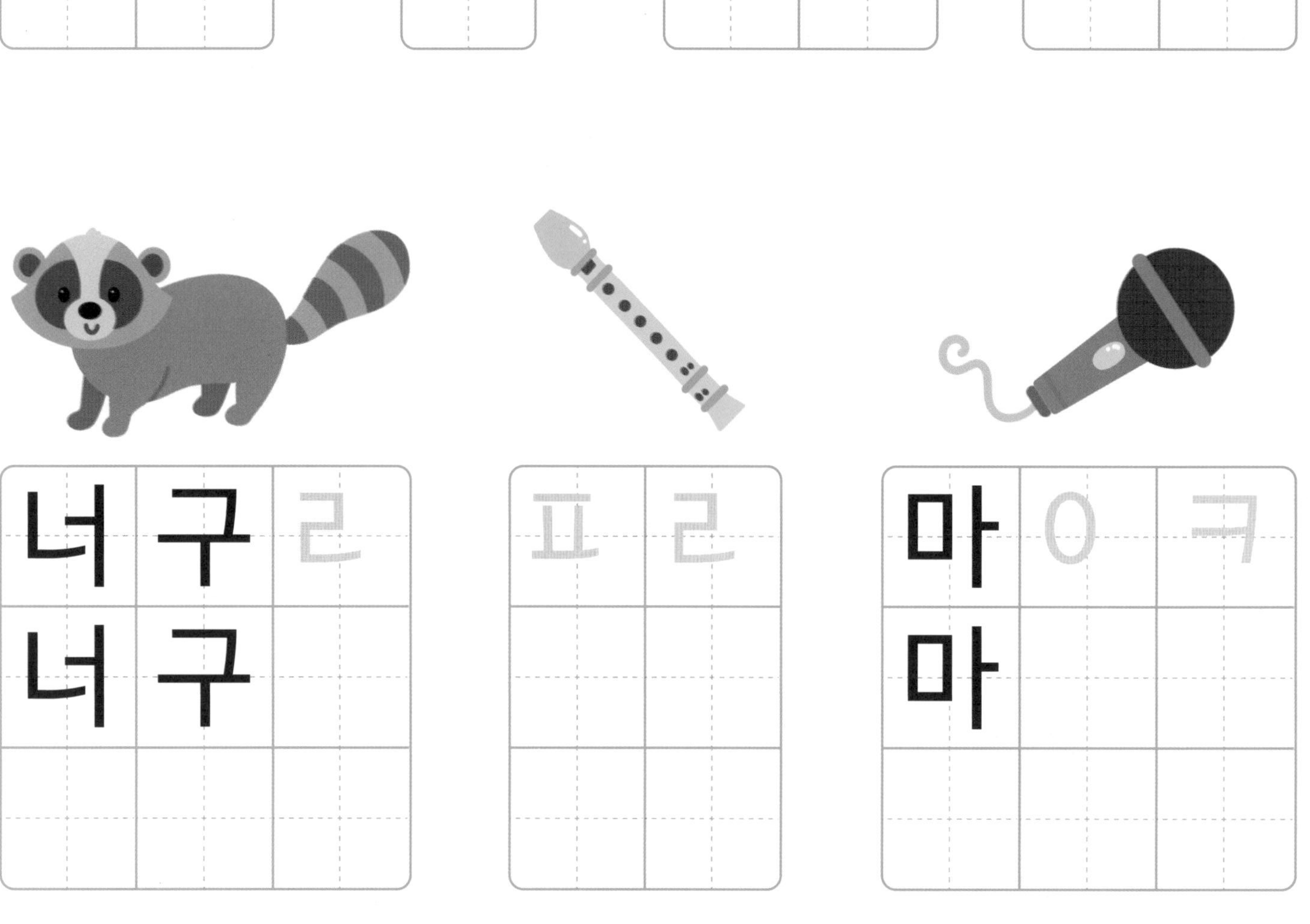

4 낱말 놀이

★ 모음자 ㅡ 또는 ㅣ가 있는 글자를 보기 에서 찾아 재미있는 표현을 완성해 보세요.

보기 르 리 이 스 지 으 치

ㅅ	ㄹ	ㄹ	
ㅇ	ㄹ	저	ㄹ
ㅇ	ㄹ	ㅇ	ㄹ
ㅊ	카	ㅊ	카
ㅈ	ㅈ	배	배
꺼	ㅇ	꺼	ㅇ

같은 모음자 찾기

★ **모음자를 흉내 낸 모습을 보고 같은 모음자를 찾아 선으로 이어 보세요.**

그림과 같이 몸으로 모음자를 만들어 보세요.
그림과 다른 나만의 방법으로 만들어도 좋습니다.

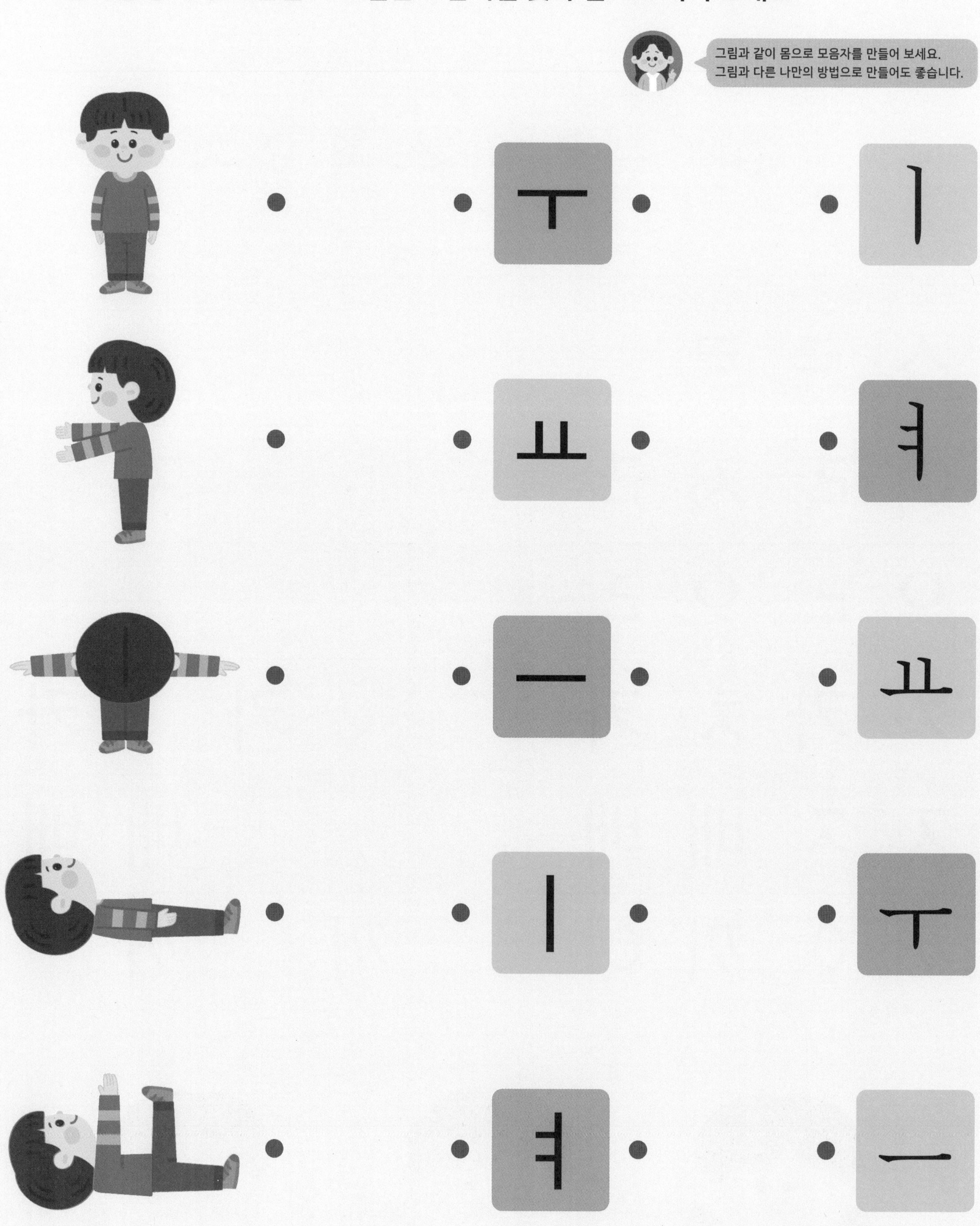

알맞은 모음자 찾기

낱말의 빈 곳에 알맞은 모음자를 보기 에서 찾아 쓰고, 소리 내어 읽어 보세요.

보기 ㅏ ㅑ ㅕ ㅗ ㅛ ㅜ ㅠ

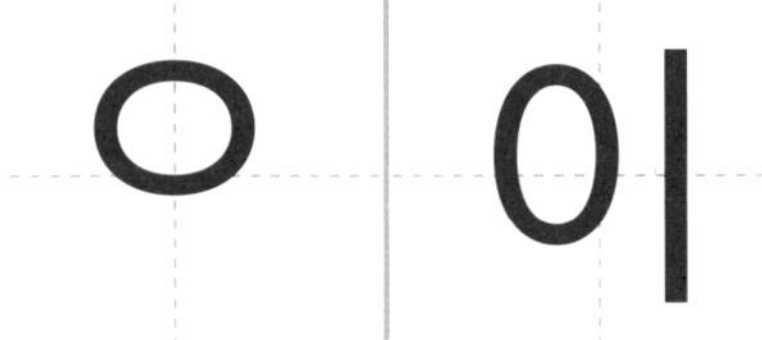

ㅇ 이

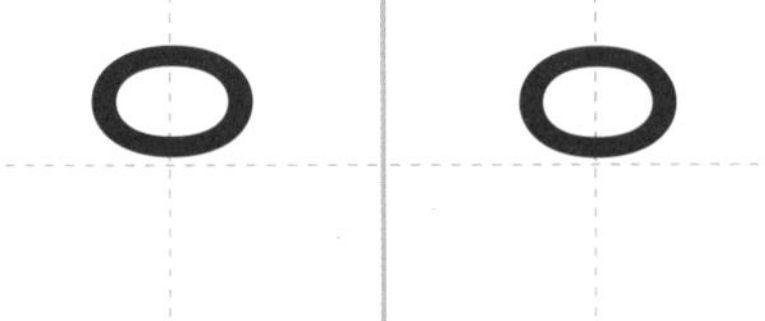

ㅇ ㅇ

ㅇ 리

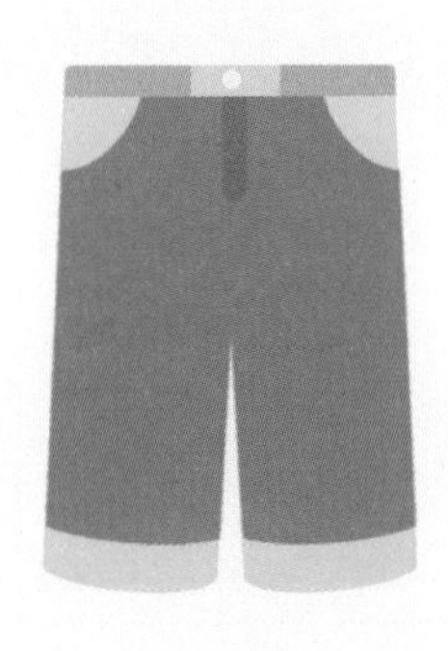

ㅇ 구

ㅂ 지

ㅇ 우

낱말 만들기

자음자와 모음자를 모아 낱말을 만들어 써 보세요.

그림의 낱말이 무엇인지 알아맞힌 다음, 짜임에 맞게 자음자와 모음자를 배열하는 활동입니다.

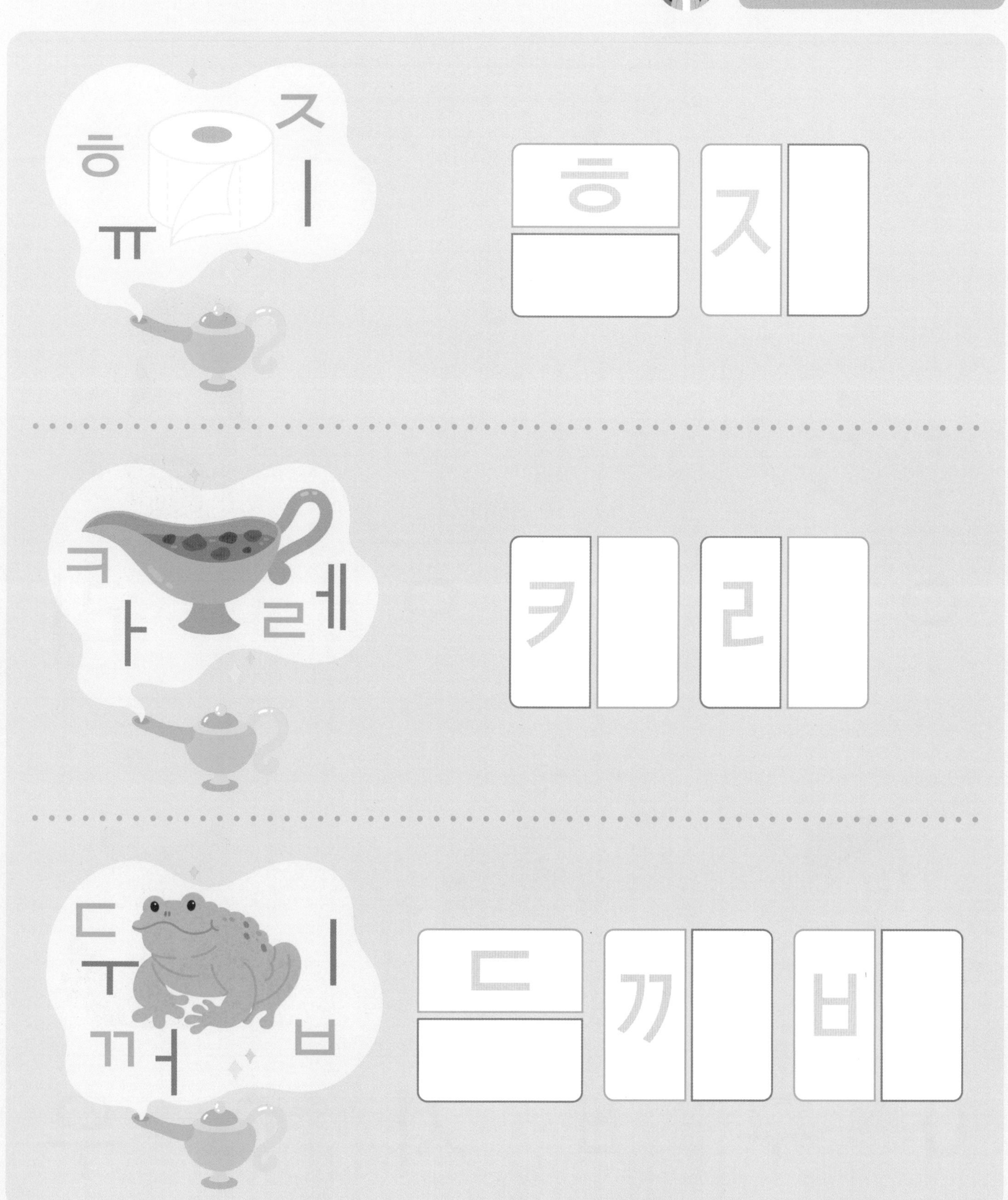

낱말 퍼즐

빈칸에 알맞은 모음자를 넣어 퍼즐을 완성해 보세요.

1 자음자 ㄱ 쓰기

소리 내어 읽으면서 순서에 맞게 써 보세요.

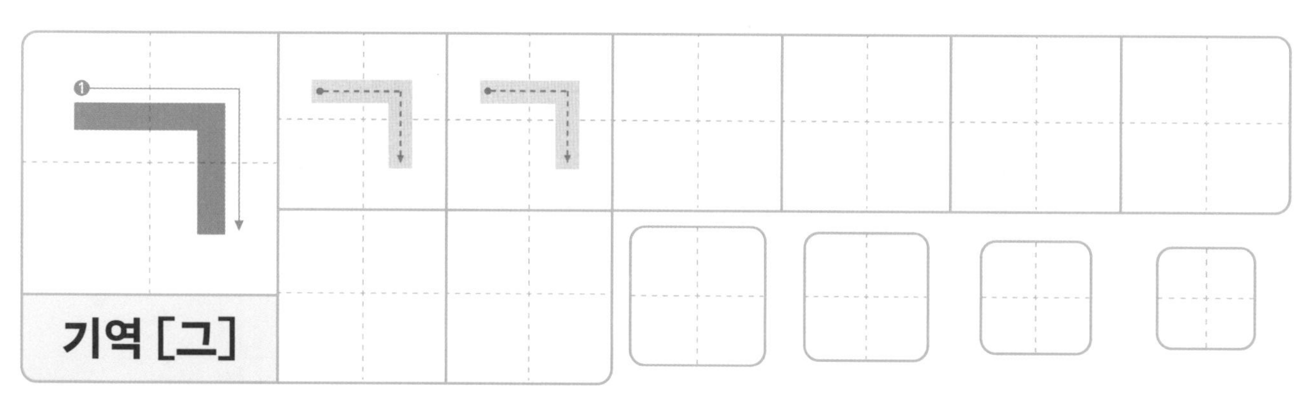

ㄱ에 획을 더하면 ㅋ입니다. '그, 크, 그, 크'라고 소리를 모아서 연습해 보세요. 혀 뒷부분이 목구멍 아래를 막고 소리를 내요.

자음자와 모음자를 합쳐 글자를 쓰고 읽어 보세요.

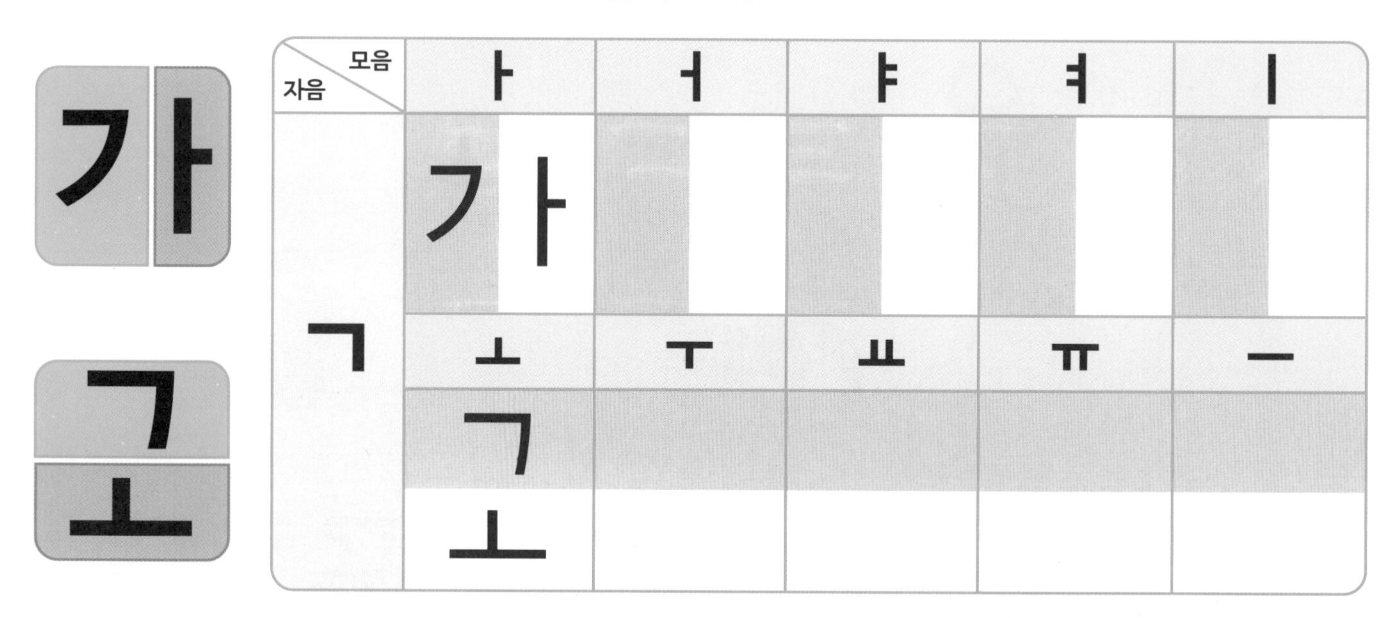

빈 곳에 ㄱ을 써서 뜻이 있거나 없는 낱말을 만들고 읽어 보세요.

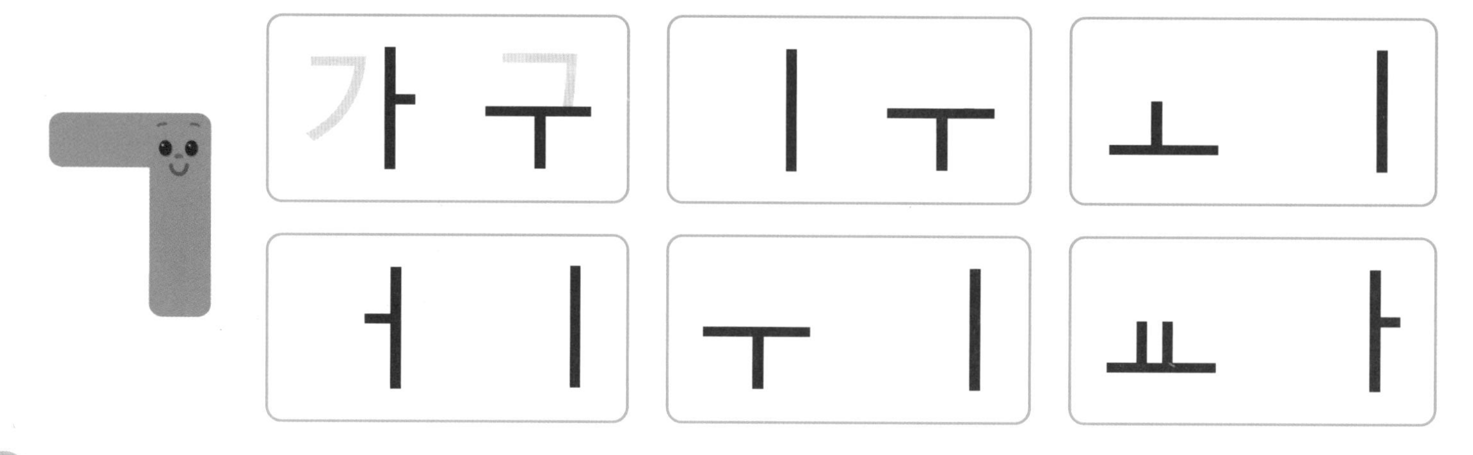

2 자음자 ㅋ 쓰기

★ 소리 내어 읽으면서 순서에 맞게 써 보세요.

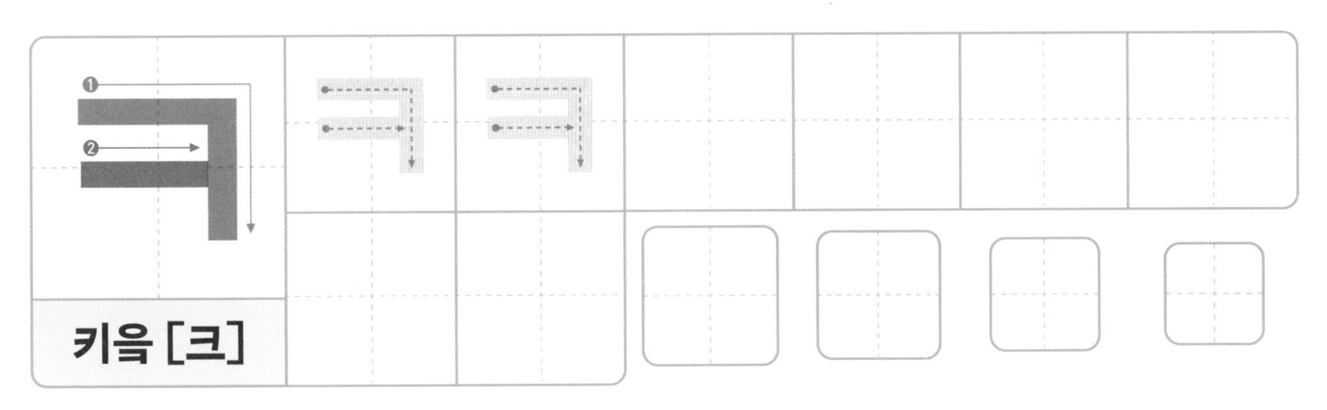

★ 자음자와 모음자를 합쳐 글자를 쓰고 읽어 보세요.

카

코

자음 \ 모음	ㅏ	ㅓ	ㅑ	ㅕ	ㅣ
ㅋ	카				
	ㅗ	ㅜ	ㅛ	ㅠ	ㅡ
	코				

★ 빈 곳에 ㅋ을 써서 뜻이 있거나 없는 낱말을 만들고 읽어 보세요.

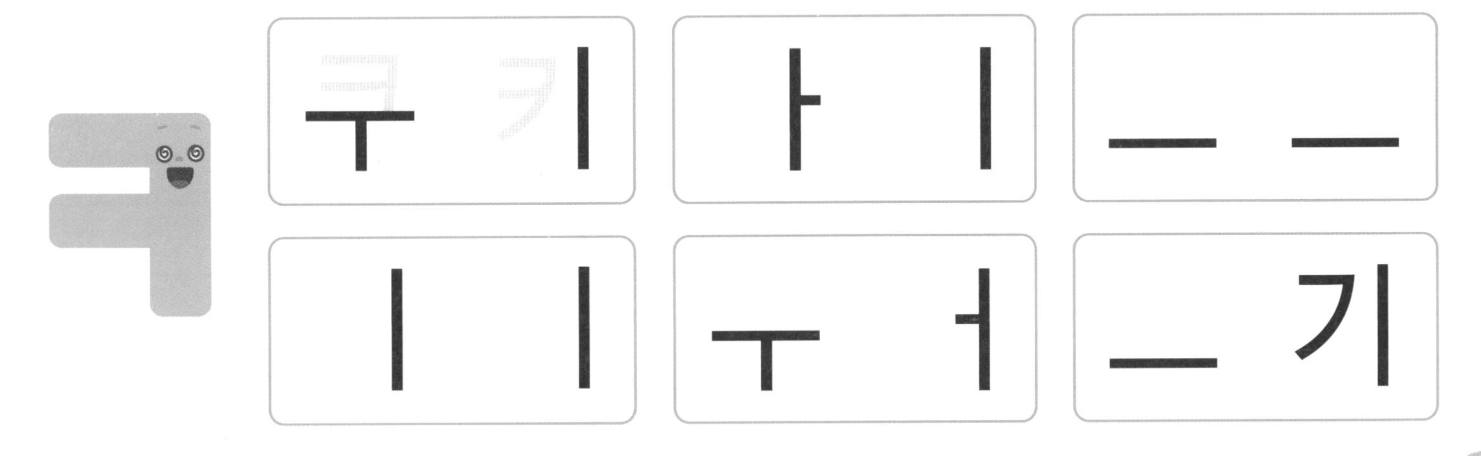

3 낱말 쓰기

그림을 보고 ㄱ, ㅋ을 알맞게 넣어 낱말을 완성하고 읽어 보세요.

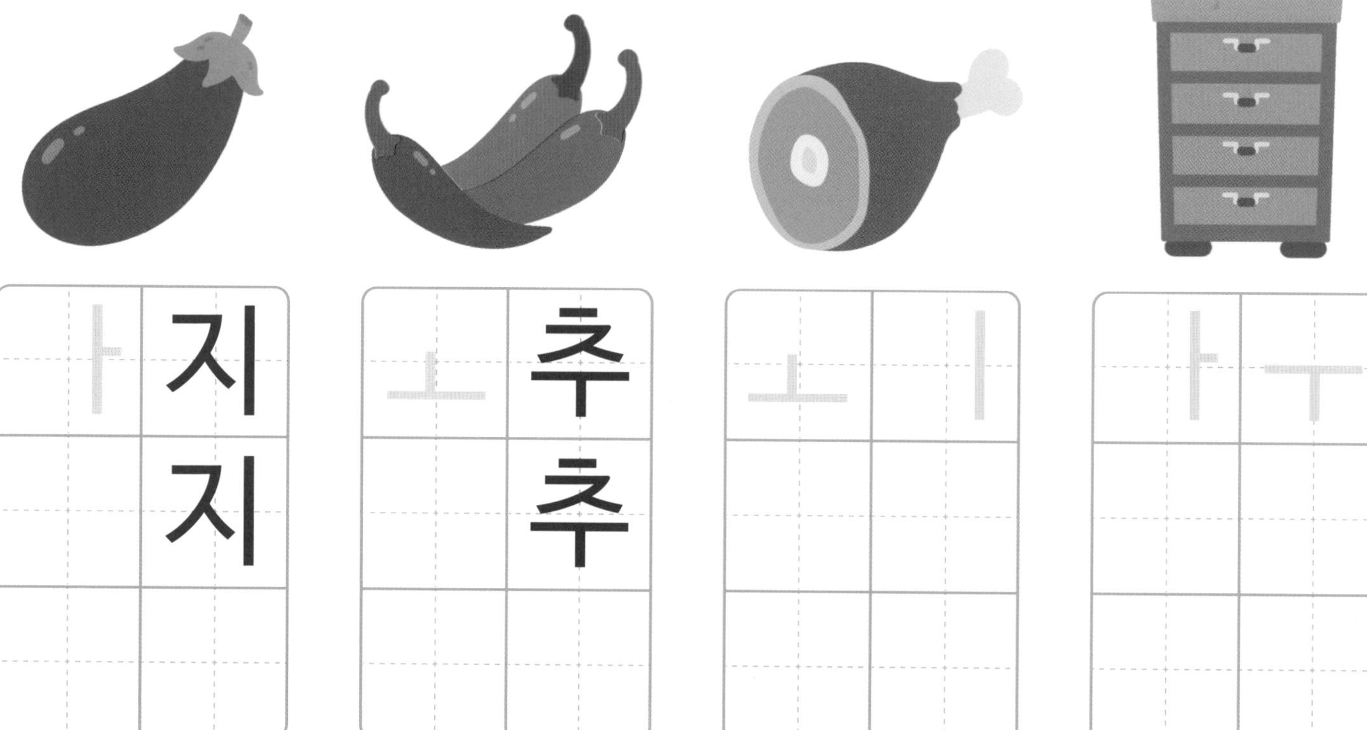

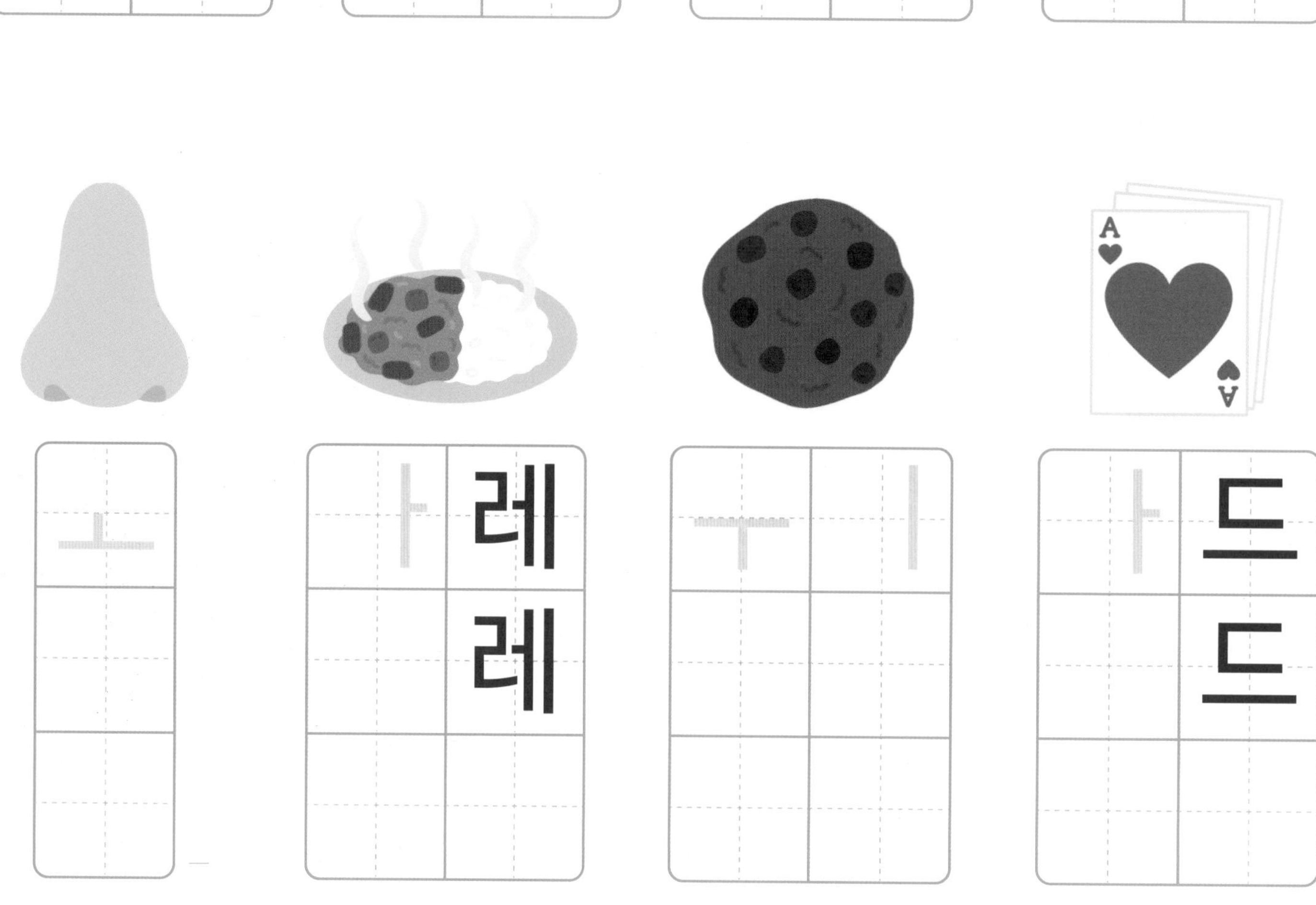

4 낱말 놀이

★ 자음자 ㄱ 또는 ㅋ이 있는 글자를 보기 에서 찾아 재미있는 표현을 완성해 보세요.

보기 크 콰 기 가 고

가	지	가	지
고	이	고	이
오	고	가	고
요	기	조	기
이	크	이	크
콰	르	르	

→

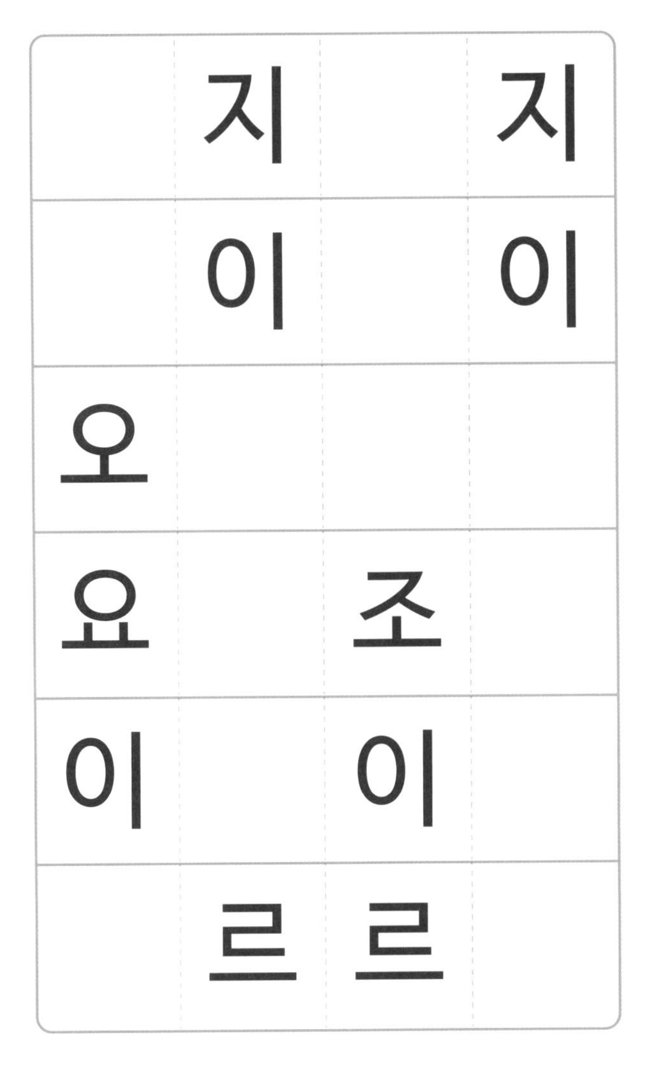

1 자음자 ㄴ 쓰기

★ 소리 내어 읽으면서 순서에 맞게 써 보세요.

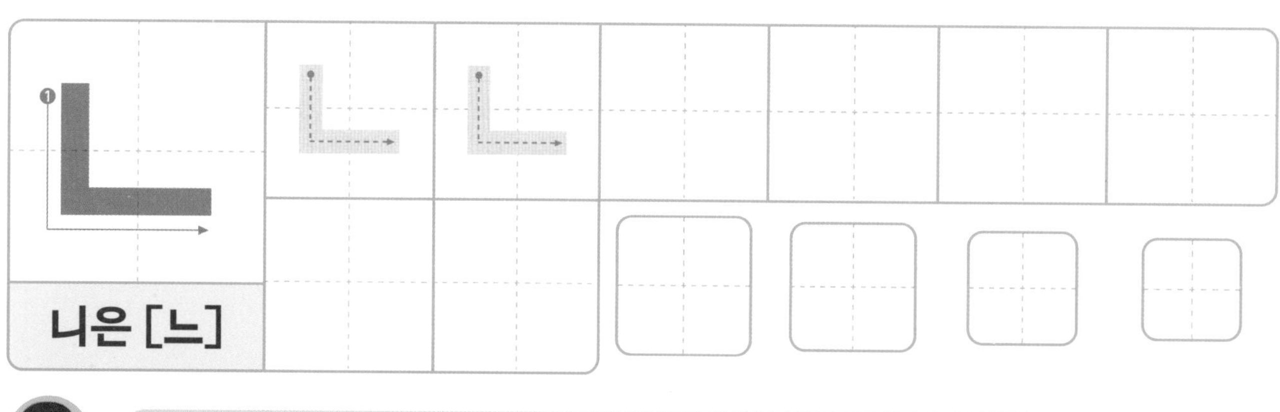

ㄴ에 획을 더하면 ㄷ, ㄷ에 획을 더하면 ㅌ입니다. '느, 드, 트'라고 소리를 모아서 연습해 보세요. 모두 혀끝에서 나는 소리입니다.

★ 자음자와 모음자를 합쳐 글자를 쓰고 읽어 보세요.

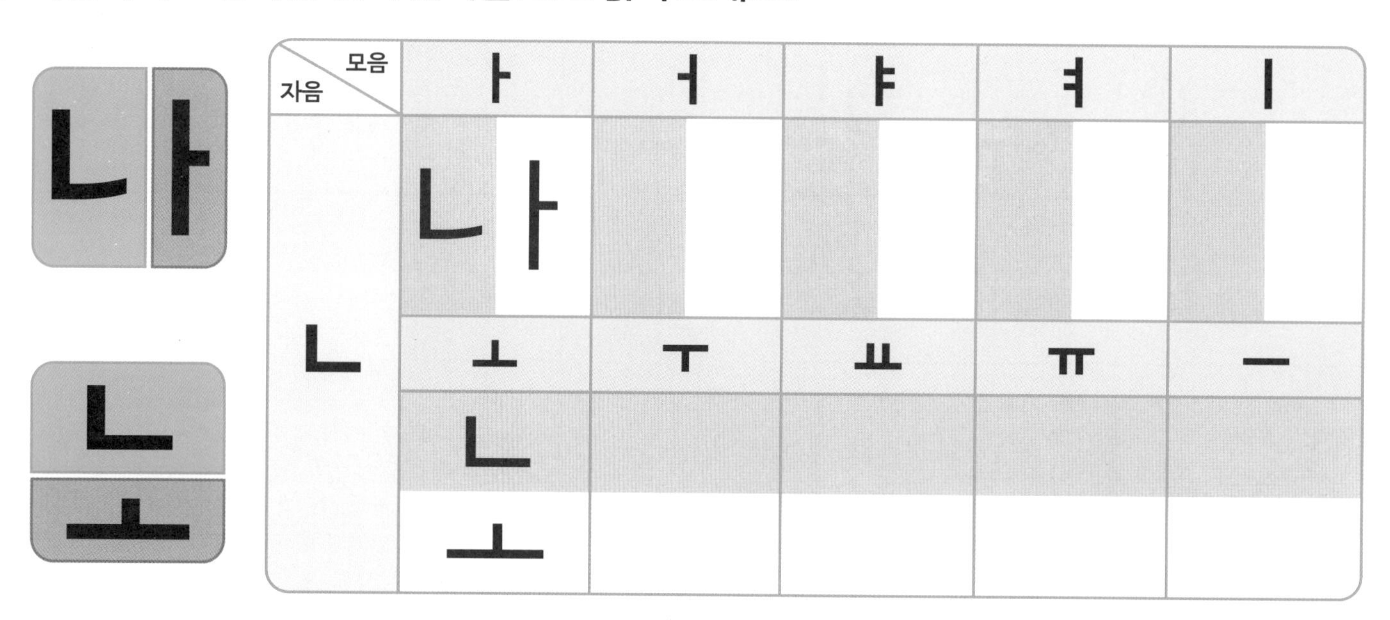

★ 빈 곳에 ㄴ을 써서 뜻이 있거나 없는 낱말을 만들고 읽어 보세요.

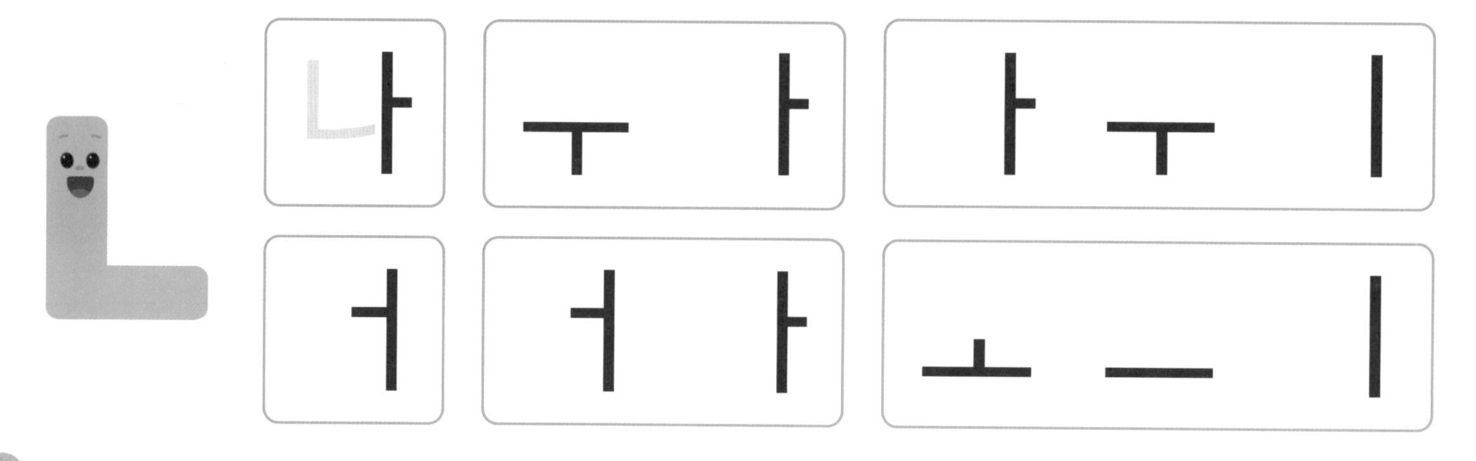

2 자음자 ㄷ 쓰기

★ 소리 내어 읽으면서 순서에 맞게 써 보세요.

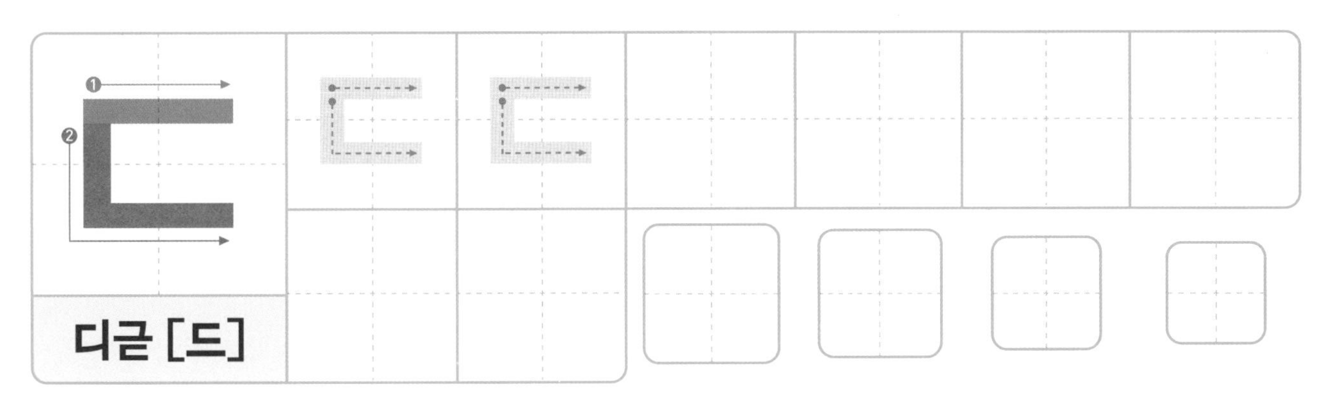

★ 자음자와 모음자를 합쳐 글자를 쓰고 읽어 보세요.

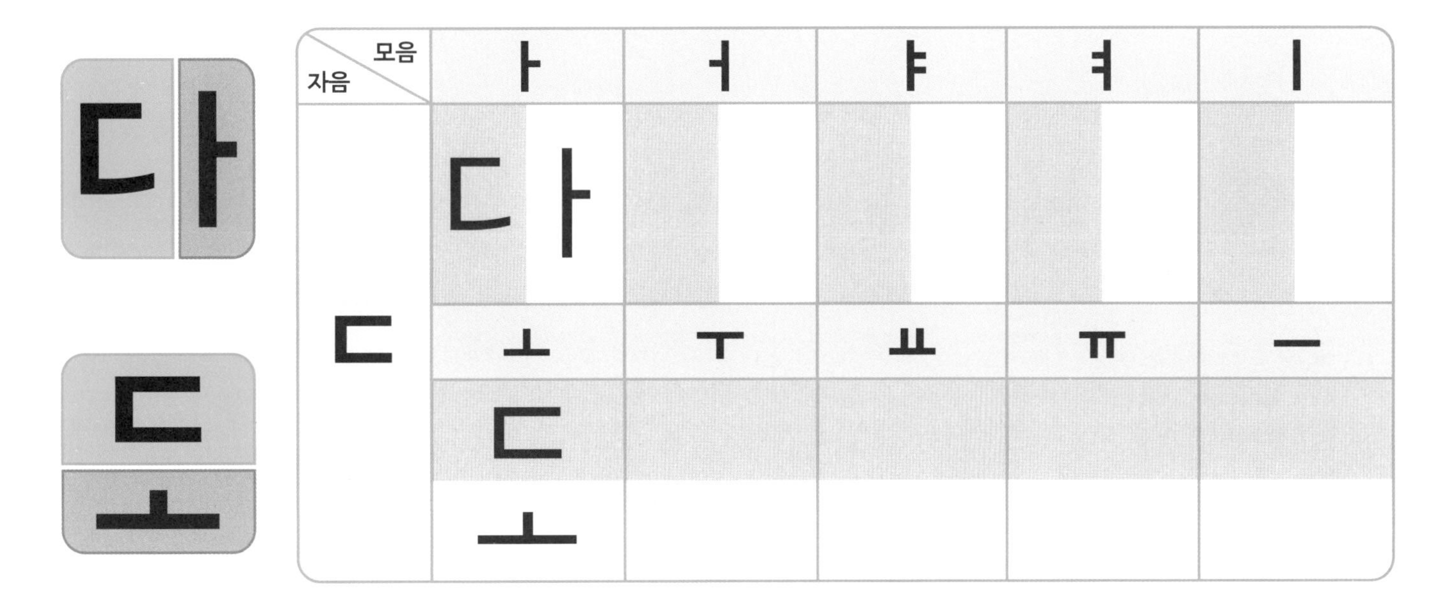

★ 빈 곳에 ㄷ을 써서 뜻이 있거나 없는 낱말을 만들고 읽어 보세요.

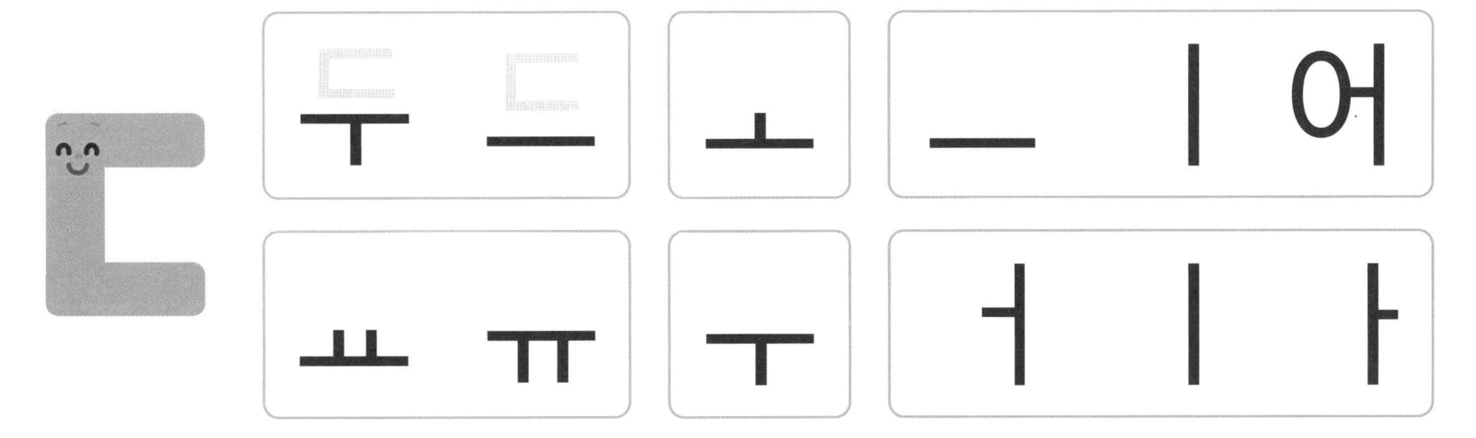

3 자음자 ㅌ 쓰기

소리 내어 읽으면서 순서에 맞게 써 보세요.

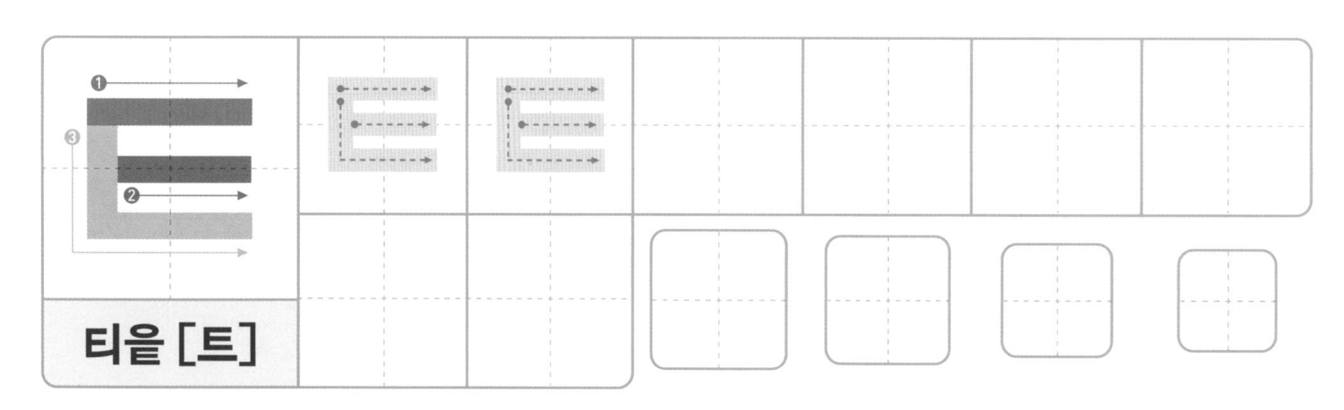

자음과 모음을 합쳐 글자를 쓰고 읽어 보세요.

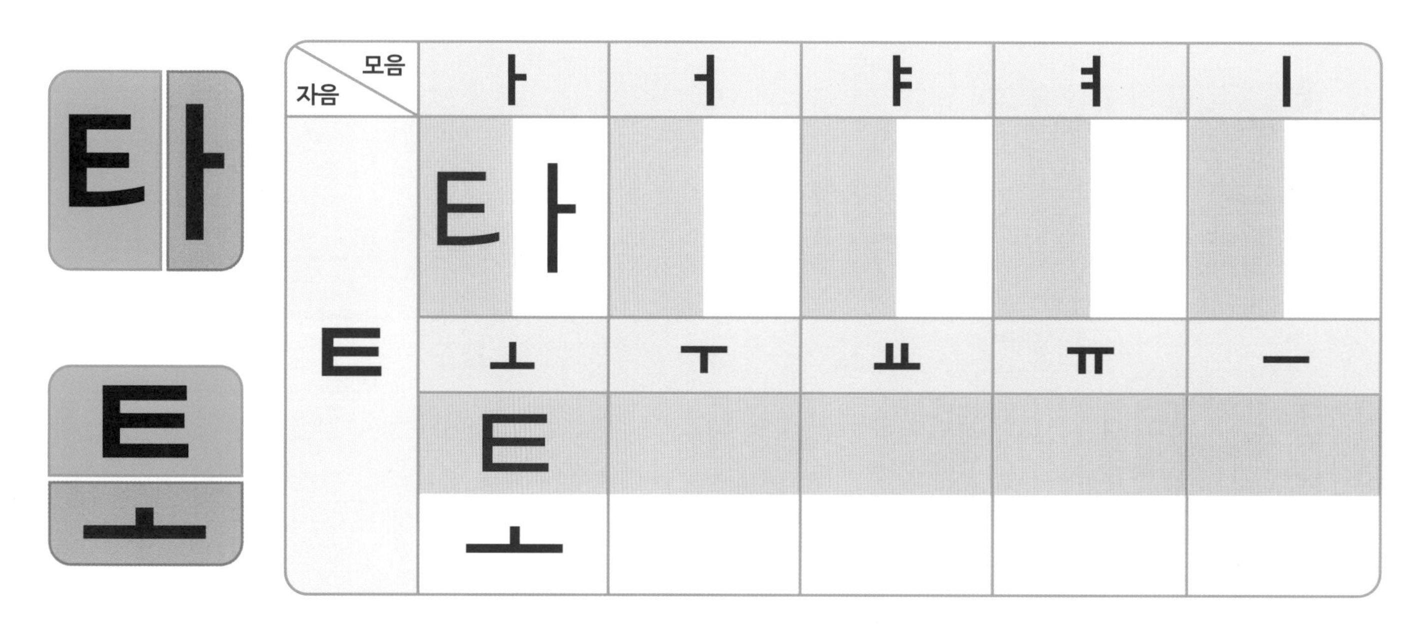

빈 곳에 ㅌ을 써서 뜻이 있거나 없는 낱말을 만들고 읽어 보세요.

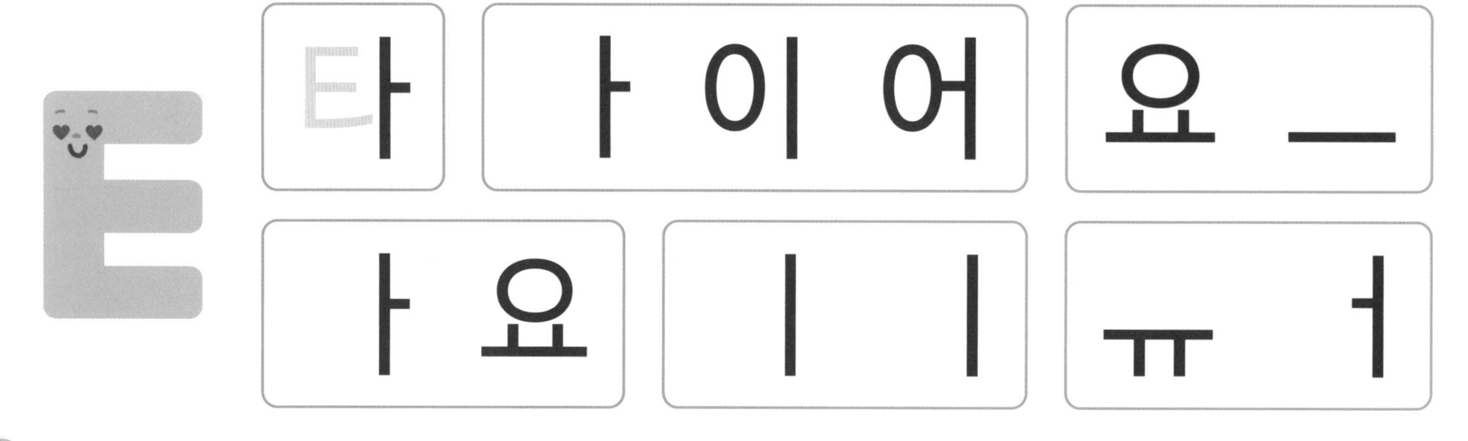

4 낱말 쓰기

★ 그림을 보고 ㄴ, ㄷ, ㅌ을 알맞게 넣어 낱말을 완성하고 읽어 보세요.

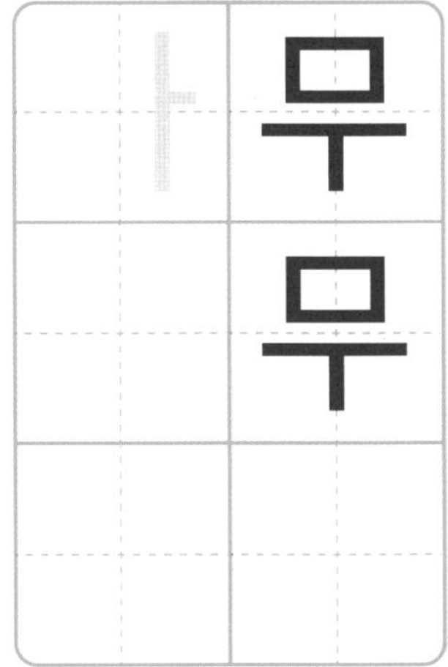

ㅏ	무
	무

ㅗ	루
	루

ㅜ	ㅓ	지
		지

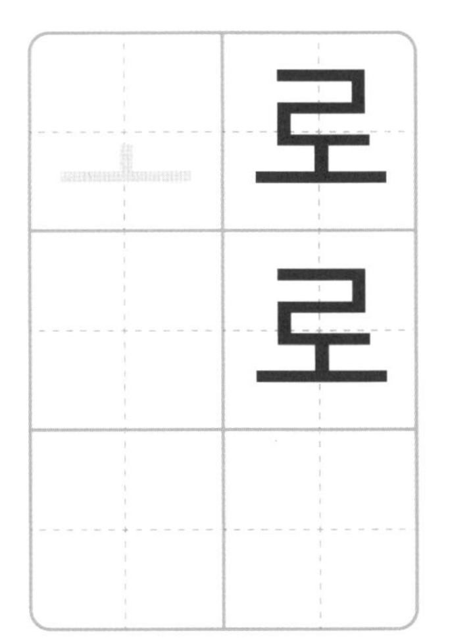

ㅗ	로
	로

ㅗ	끼
	끼

ㅜ	호
	호

ㅏ	조
	조

1 자음자 ㅁ 쓰기

★ 소리 내어 읽으면서 순서에 맞게 써 보세요.

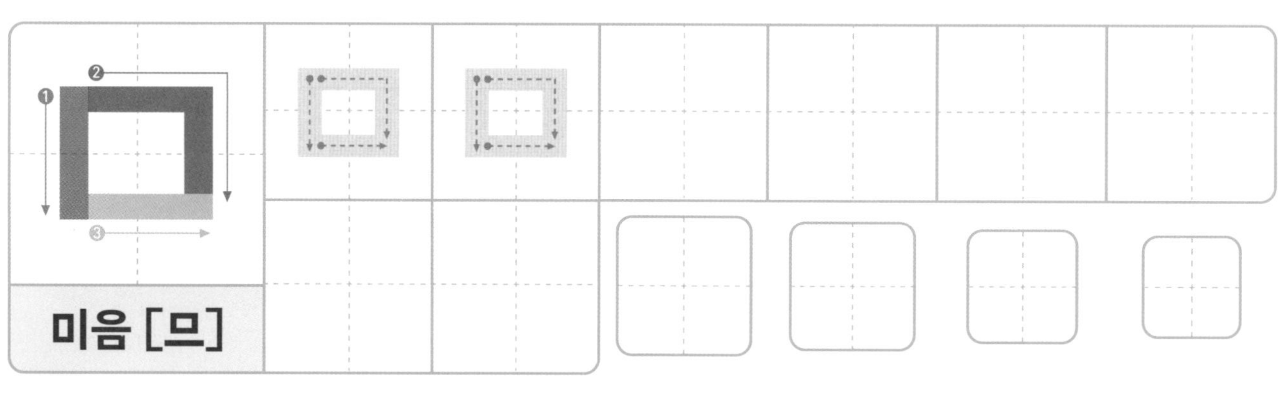

ㅁ에 획을 더하면 ㅂ, ㅂ에 획을 더하면 ㅍ입니다. '므, 브, 프'라고 소리를 모아서 연습해 보세요. 모두 입술에서 소리가 납니다.

★ 자음자와 모음자를 합쳐 글자를 쓰고 읽어 보세요.

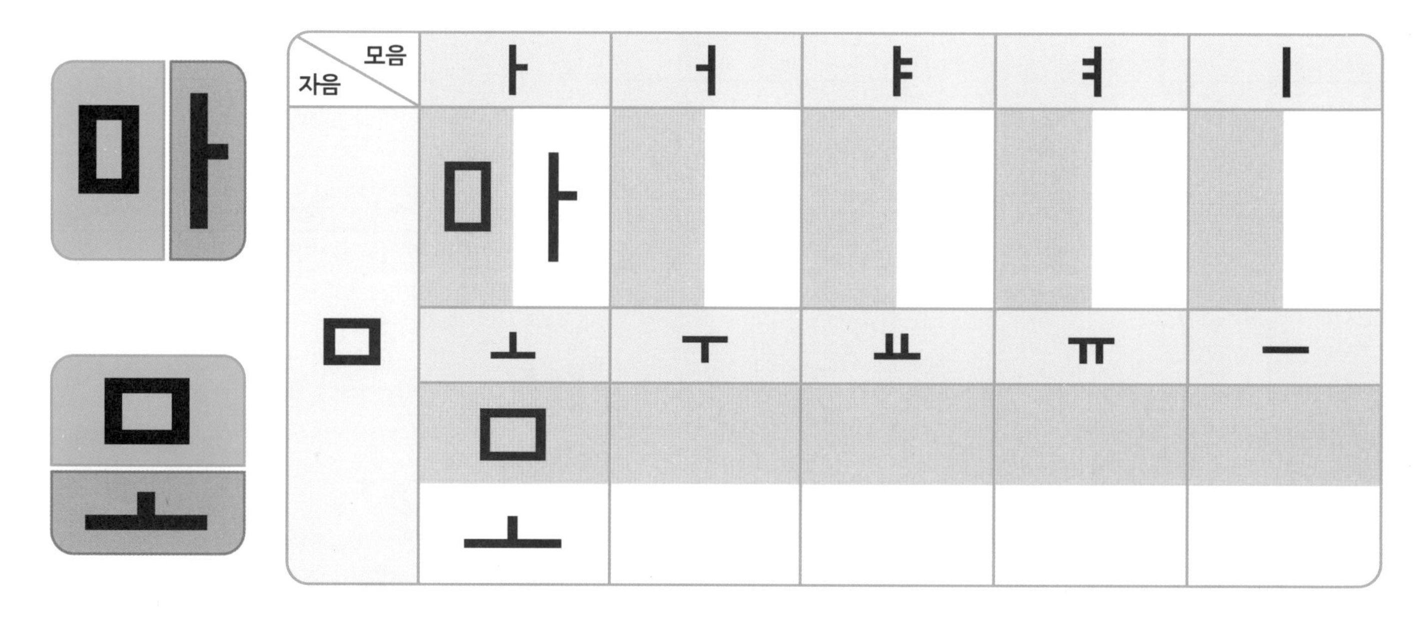

★ 빈 곳에 ㅁ을 써서 뜻이 있거나 없는 낱말을 만들고 읽어 보세요.

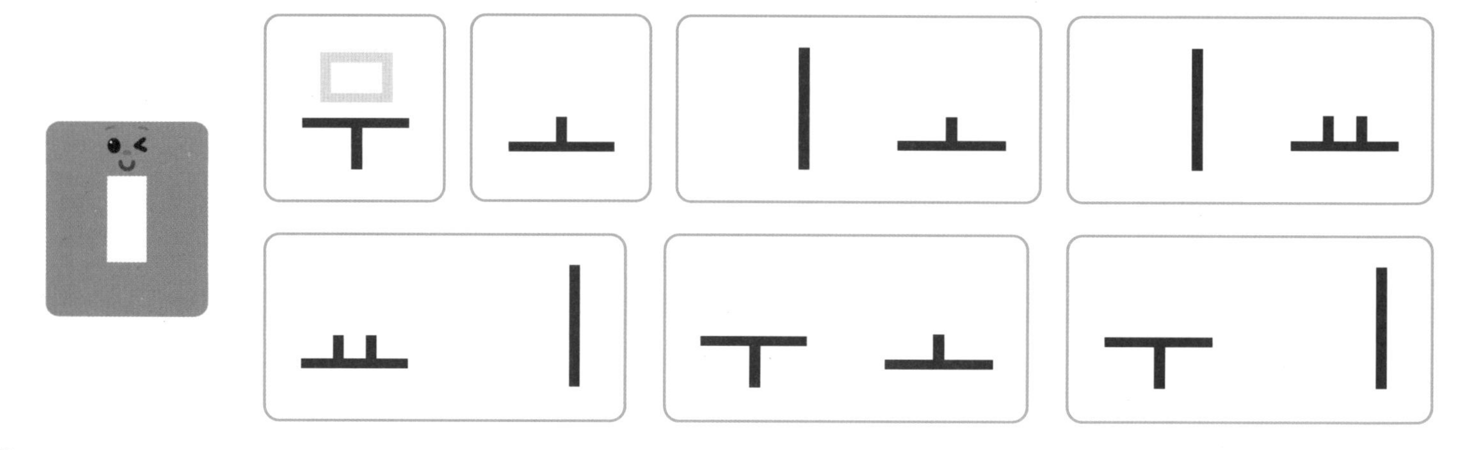

2 자음자 ㅂ 쓰기

★ 소리 내어 읽으면서 순서에 맞게 써 보세요.

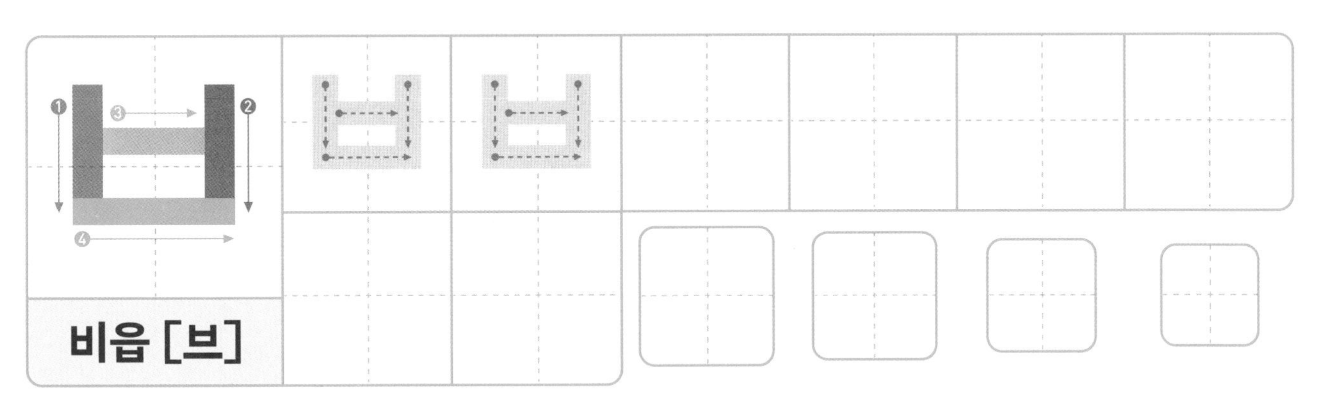

★ 자음자와 모음자를 합쳐 글자를 쓰고 읽어 보세요.

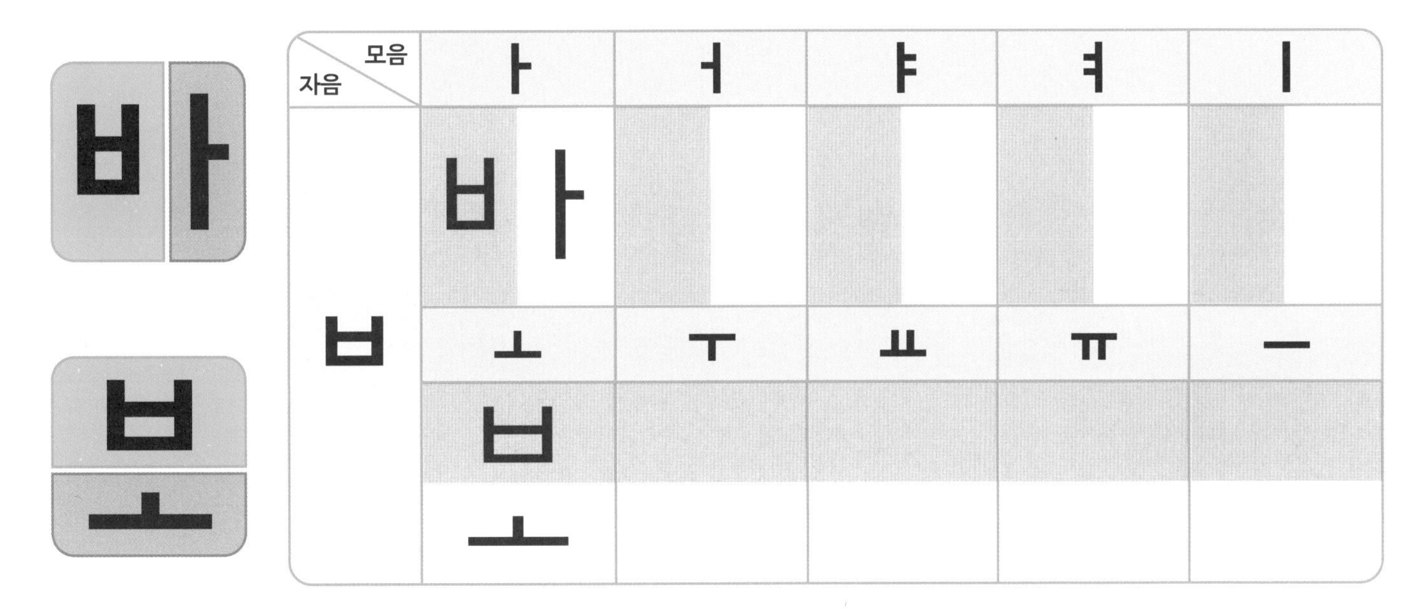

★ 빈 곳에 ㅂ을 써서 뜻이 있거나 없는 낱말을 만들고 읽어 보세요.

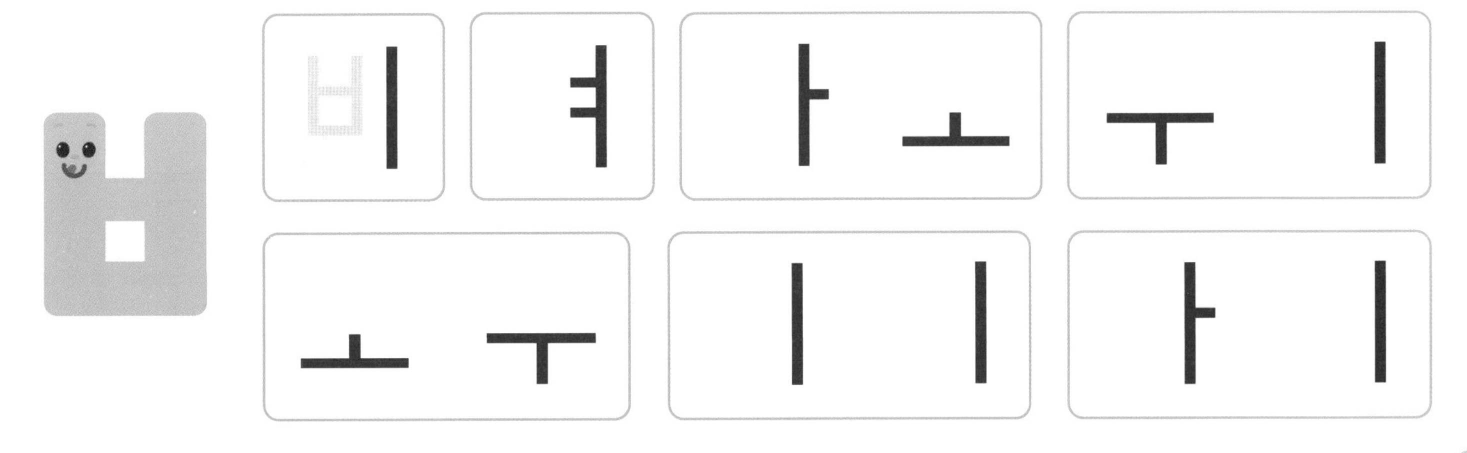

3 자음자 ㅍ 쓰기

★ 소리 내어 읽으면서 순서에 맞게 써 보세요.

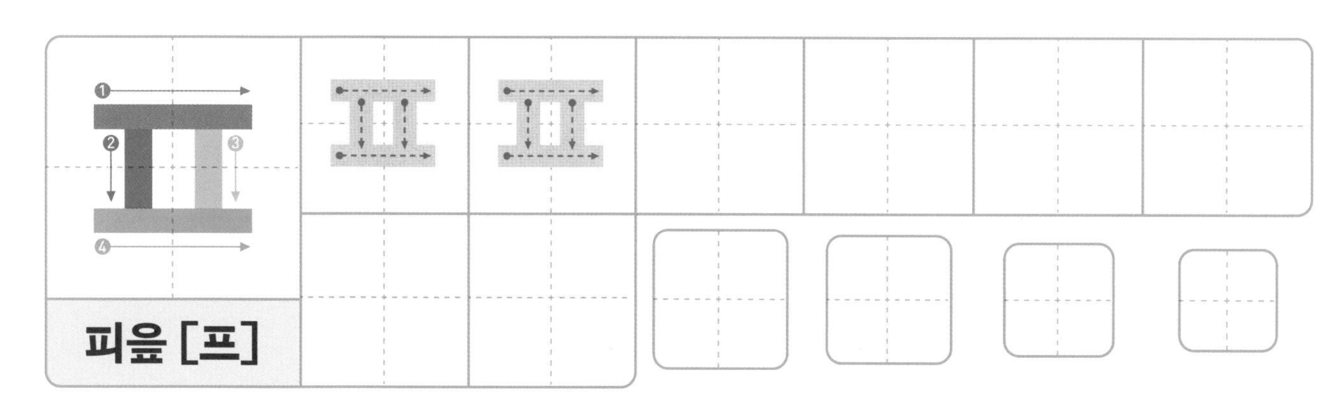

★ 자음자와 모음자를 합쳐 글자를 쓰고 읽어 보세요.

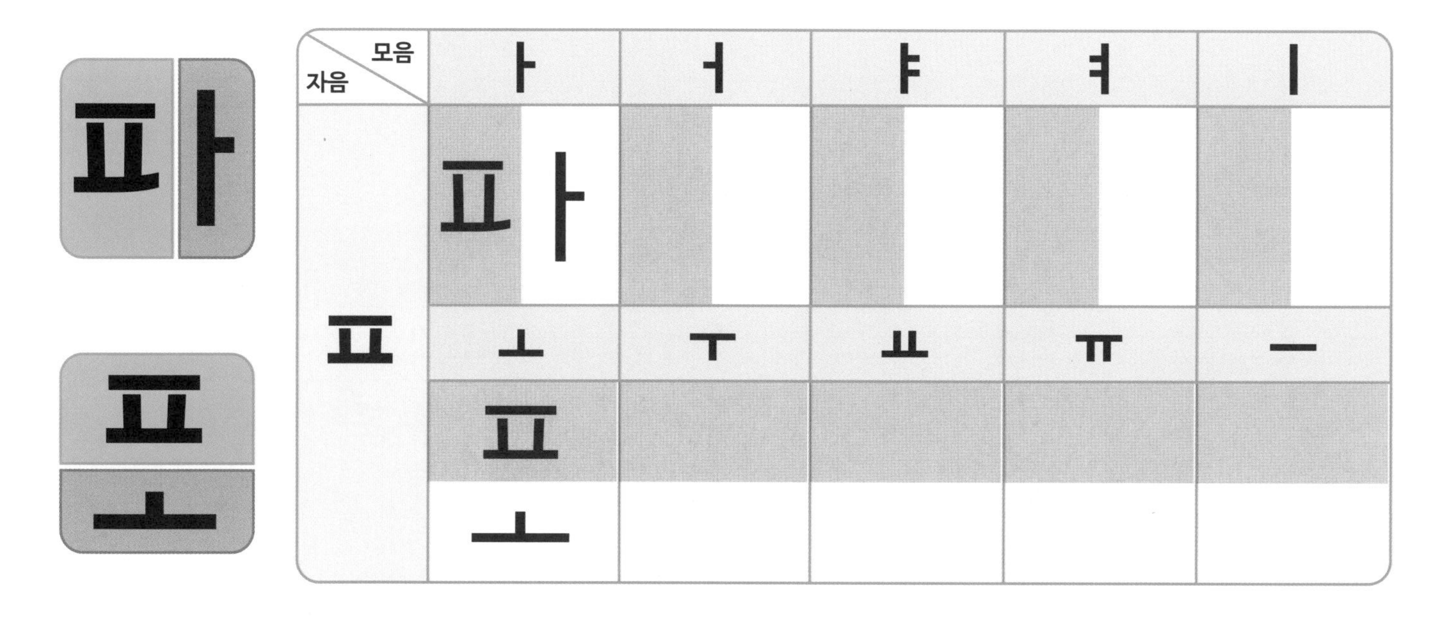

★ 빈 곳에 ㅍ을 써서 뜻이 있거나 없는 낱말을 만들고 읽어 보세요.

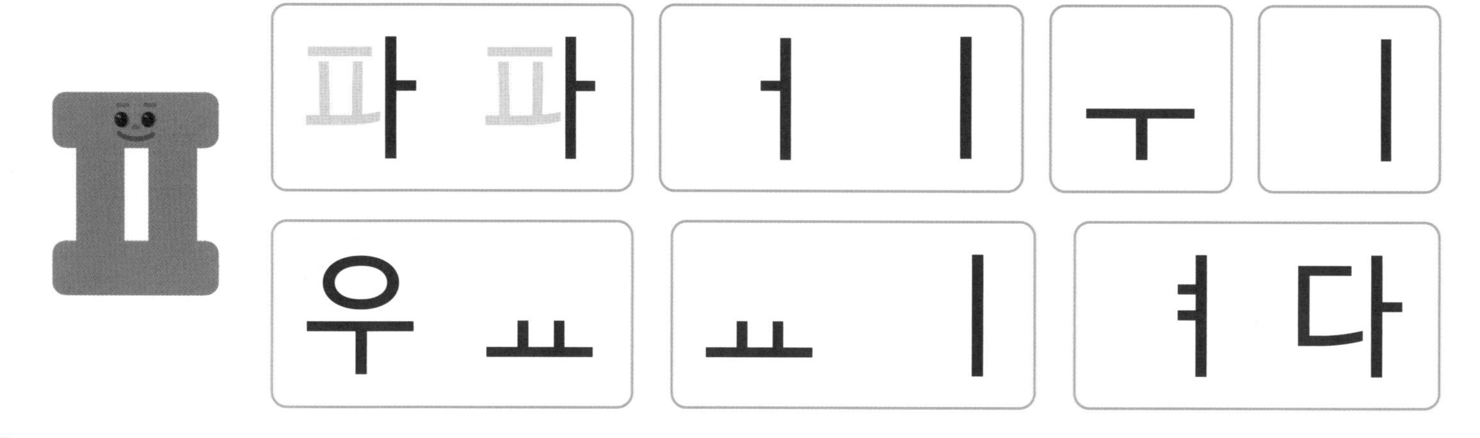

4 낱말 쓰기

★ 그림을 보고 ㅁ, ㅂ, ㅍ을 알맞게 넣어 낱말을 완성하고 읽어 보세요.

ㅜ

ㅗ	자
	자

ㅏ	차
	차

ㅏ	다
	다

ㅜ	채
	채

ㅏ	도
	도

ㅣ	아	노
	아	노

1 자음자 ㅅ 쓰기

소리 내어 읽으면서 순서에 맞게 써 보세요.

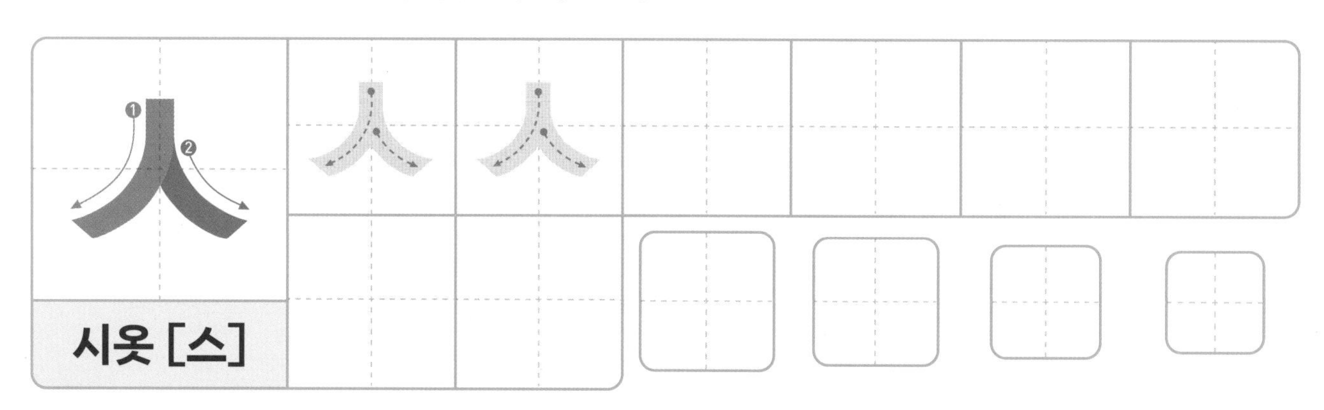

ㅅ에 획을 더하면 ㅈ, ㅈ에 획을 더하면 ㅊ입니다. '스, 즈, 츠'라고 소리를 모아서 연습해 보세요. 모두 이 사이에서 소리가 납니다.

자음자와 모음자를 합쳐 글자를 쓰고 읽어 보세요.

자음 \ 모음	ㅏ	ㅓ	ㅑ	ㅕ	ㅣ
ㅅ	사				
	ㅗ	ㅜ	ㅛ	ㅠ	ㅡ
	소				

빈 곳에 ㅅ을 써서 뜻이 있거나 없는 낱말을 만들고 읽어 보세요.

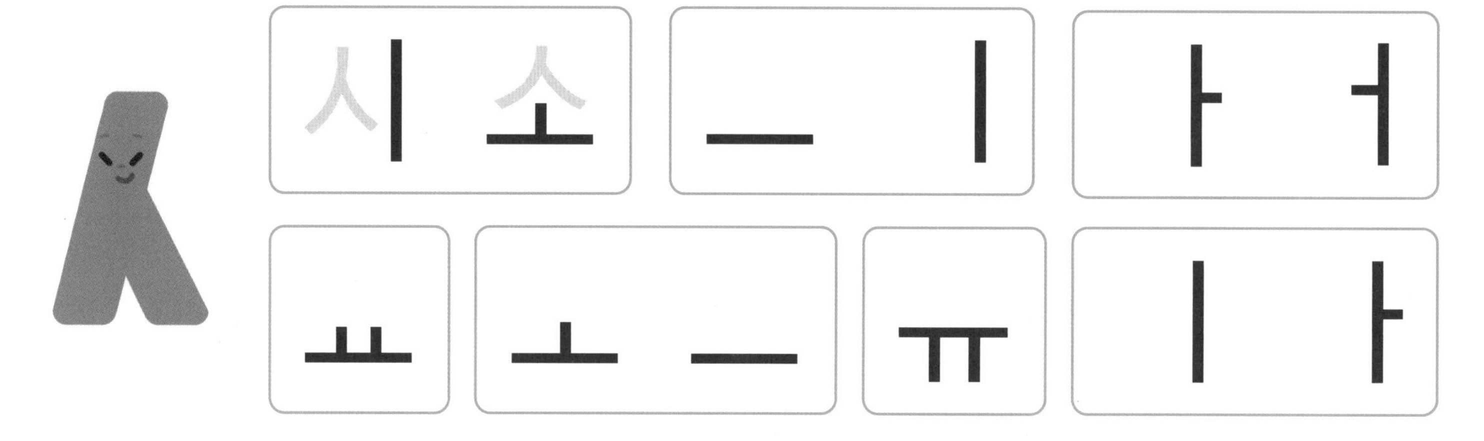

2 자음자 ㅈ 쓰기

소리 내어 읽으면서 순서에 맞게 써 보세요.

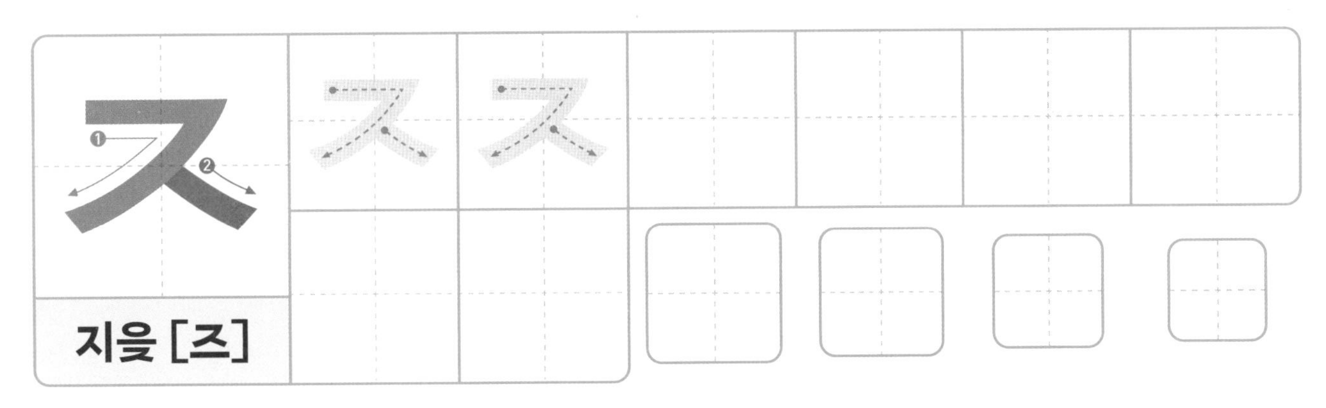

자음자와 모음자를 합쳐 글자를 쓰고 읽어 보세요.

자

조

자음 \ 모음	ㅏ	ㅓ	ㅑ	ㅕ	ㅣ
ㅈ	자				
	ㅗ	ㅜ	ㅛ	ㅠ	ㅡ
	조				

빈 곳에 ㅈ을 써서 뜻이 있거나 없는 낱말을 만들고 읽어 보세요.

3 자음자 ㅊ 쓰기

★ 소리 내어 읽으면서 순서에 맞게 써 보세요.

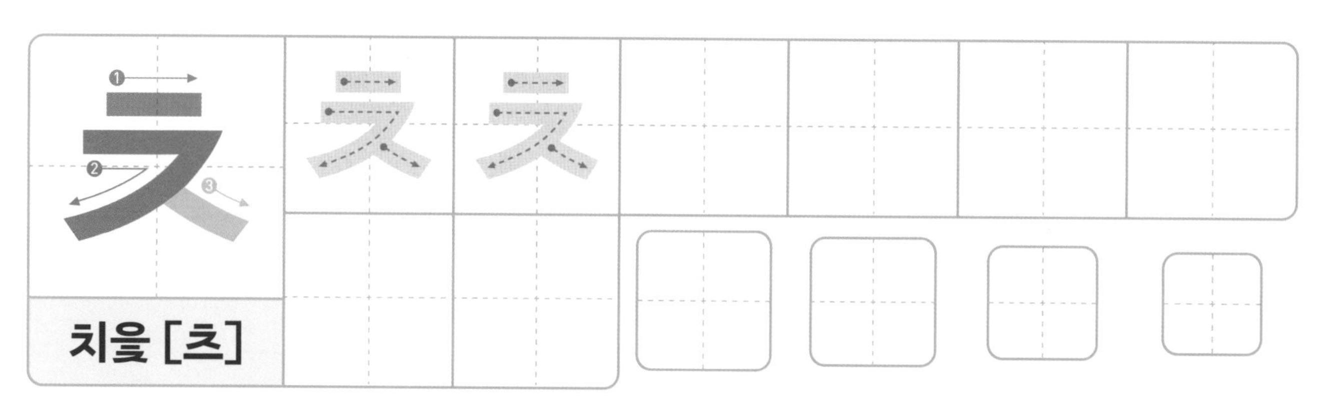

★ 자음자와 모음자를 합쳐 글자를 쓰고 읽어 보세요.

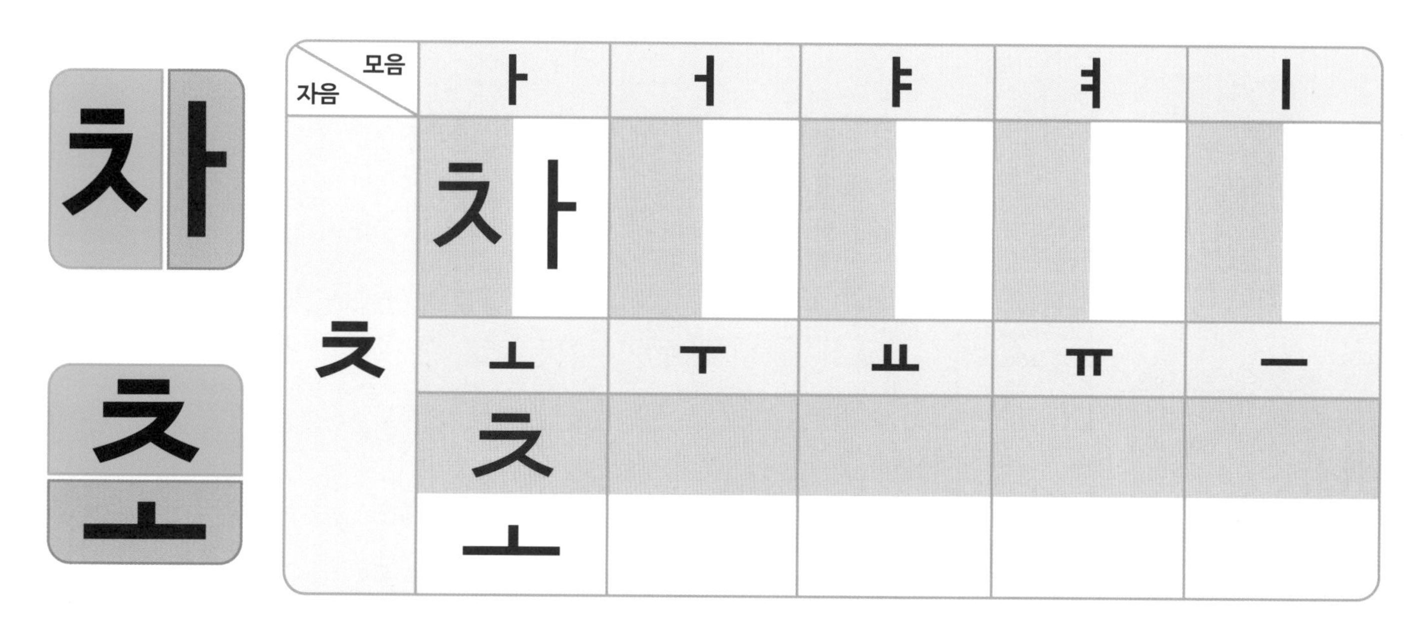

★ 빈 곳에 ㅊ을 써서 뜻이 있거나 없는 낱말을 만들고 읽어 보세요.

4 낱말 쓰기

★ 그림을 보고 ㅅ, ㅈ, ㅊ을 알맞게 넣어 낱말을 완성하고 읽어 보세요.

1 자음자 ㅇ 쓰기

소리 내어 읽으면서 순서에 맞게 써 보세요.

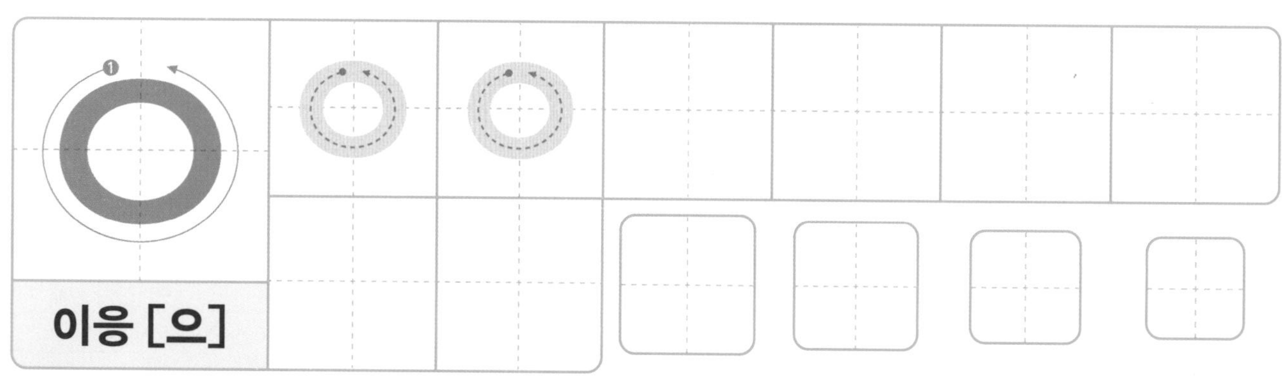

ㅇ에 획을 더하면 ㅎ입니다. '으, 흐'라고 소리를 모아서 연습해 보세요. 모두 목구멍에서 소리가 납니다.

자음자와 모음자를 합쳐 글자를 쓰고 읽어 보세요.

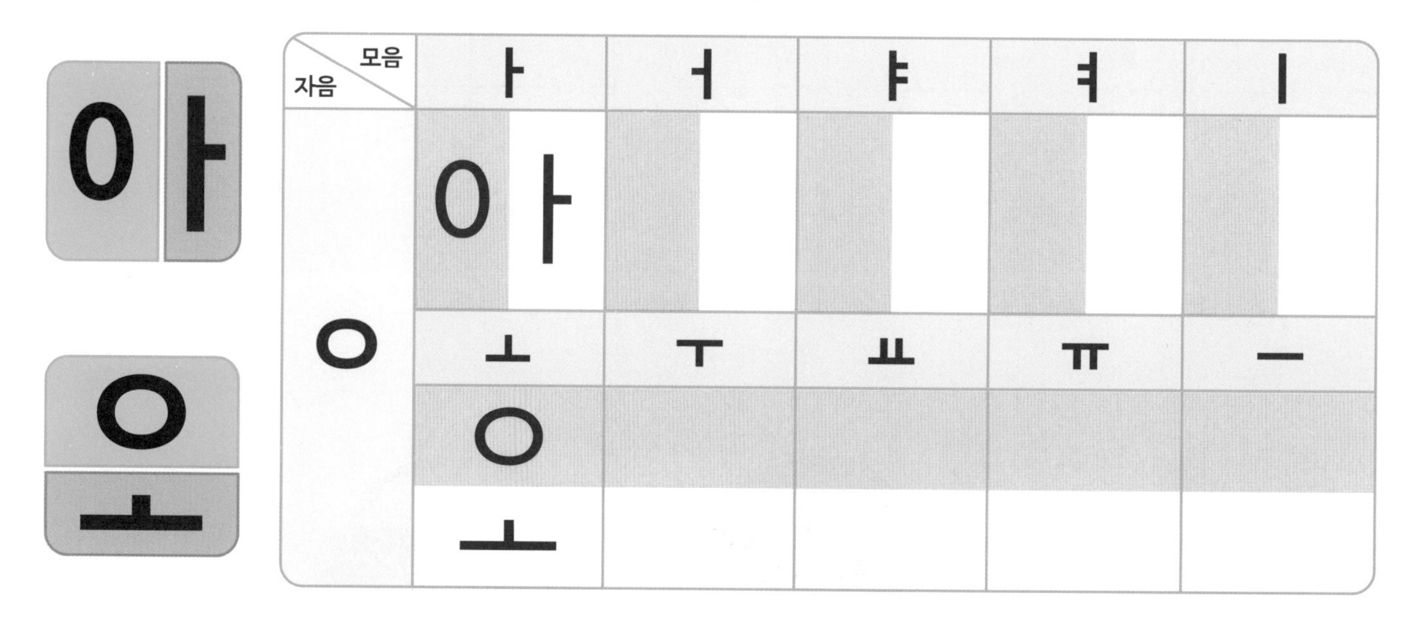

빈 곳에 ㅇ을 써서 뜻이 있거나 없는 낱말을 만들고 읽어 보세요.

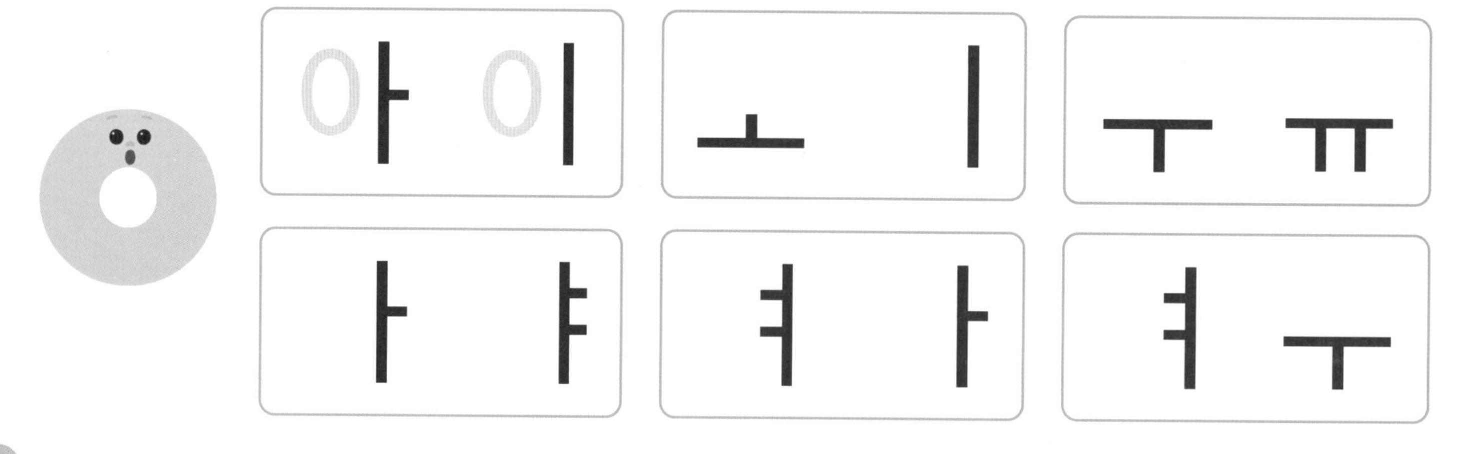

2 자음자 ㅎ 쓰기

★ 소리 내어 읽으면서 순서에 맞게 써 보세요.

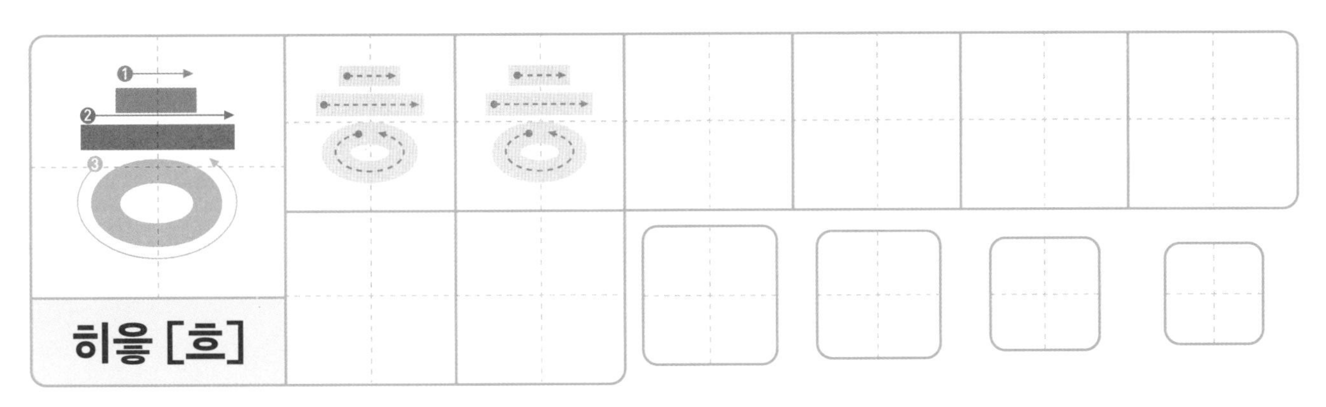

★ 자음자와 모음자를 합쳐 글자를 쓰고 읽어 보세요.

하

호

자음 \ 모음	ㅏ	ㅓ	ㅑ	ㅕ	ㅣ
ㅎ	하				
	ㅗ	ㅜ	ㅛ	ㅠ	ㅡ
	호				

★ 빈 곳에 ㅎ을 써서 뜻이 있거나 없는 낱말을 만들고 읽어 보세요.

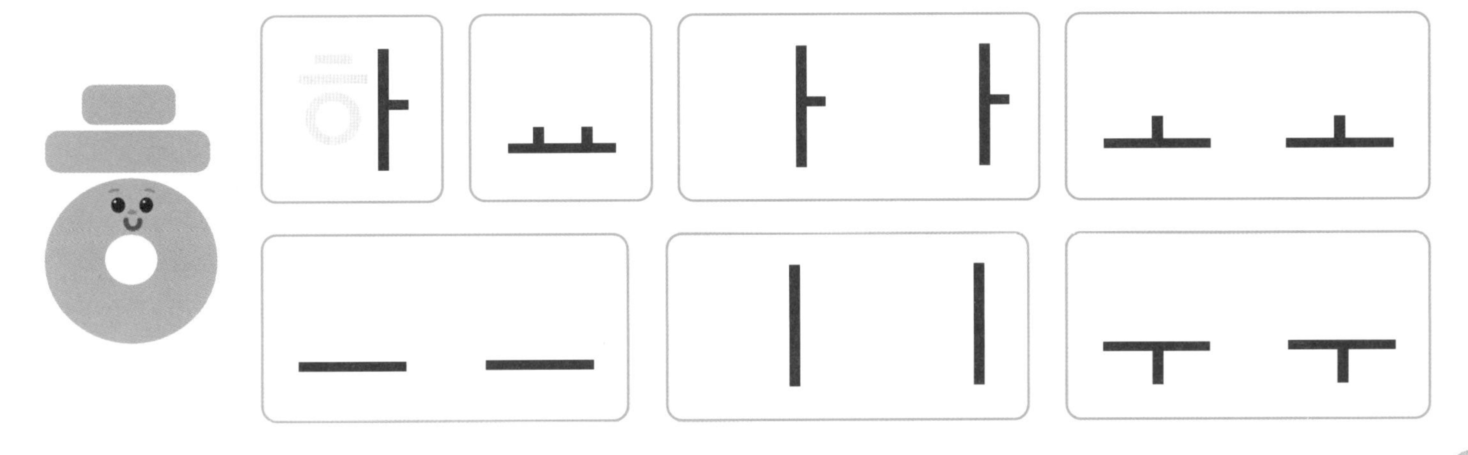

3 자음자 ㄹ 쓰기

★ 소리 내어 읽으면서 순서에 맞게 써 보세요.

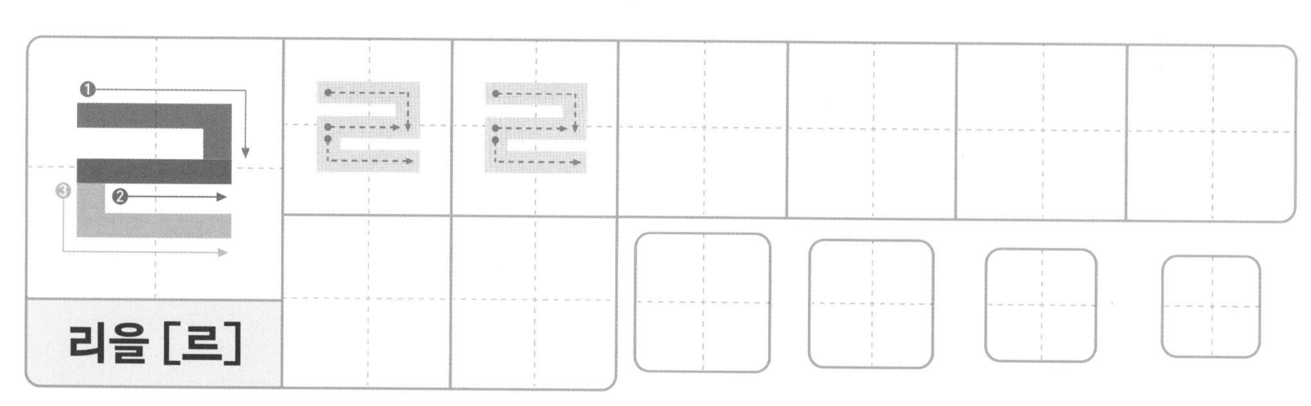

ㄹ은 ㄴ, ㄷ과 소리는 닮았지만 모양은 조금 달라요. '르'라고 소리 내 보세요. 혀가 입천장에 붙었다 떨어지며 소리가 납니다.

★ 자음자와 모음자를 합쳐 글자를 쓰고 읽어 보세요.

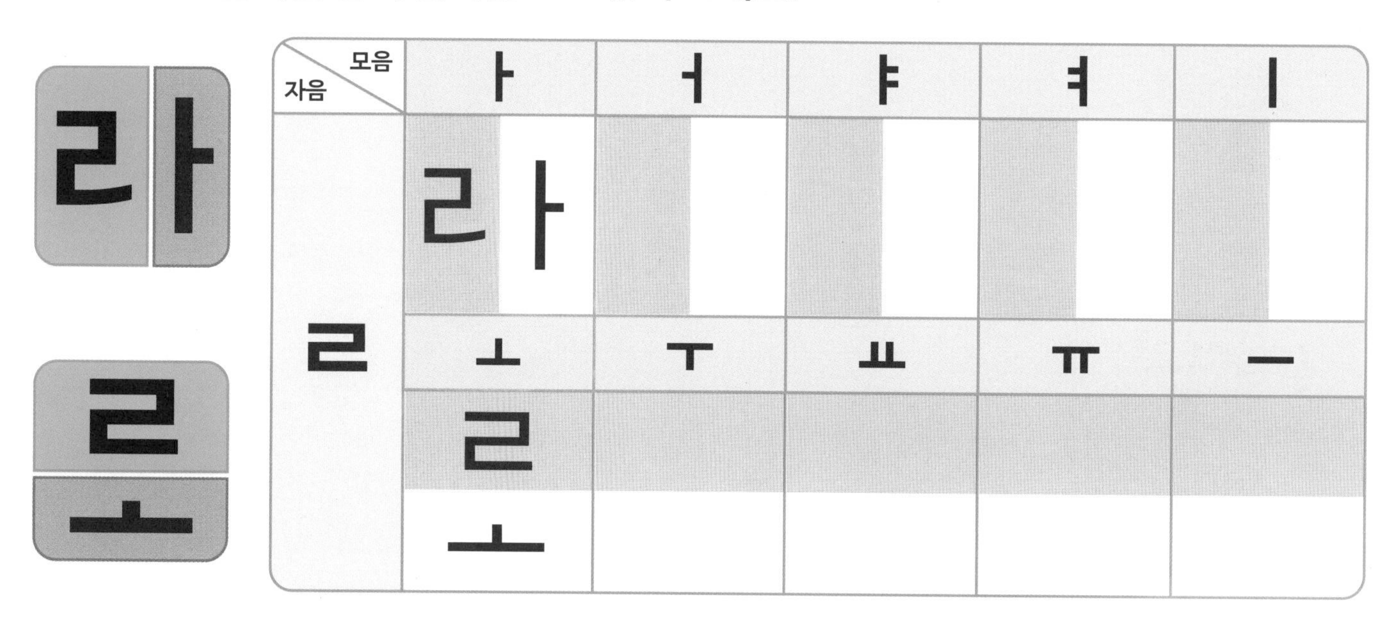

★ 빈 곳에 ㄹ을 써서 뜻이 있거나 없는 낱말을 만들고 읽어 보세요.

4 낱말 쓰기

★ 그림을 보고 ㅇ, ㅎ, ㄹ을 알맞게 넣어 낱말을 완성하고 읽어 보세요.

1 자음자 ㄲ 쓰기

★ 소리 내어 읽으면서 순서에 맞게 써 보세요.

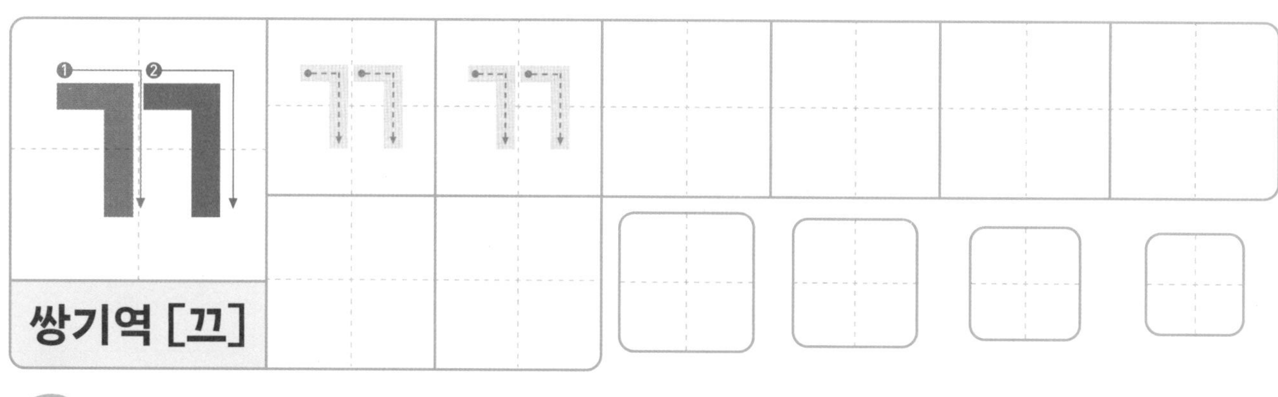

ㄱ, ㄷ, ㅂ, ㅅ, ㅈ에 같은 자음자를 하나 더 붙이면 쌍자음 ㄲ, ㄸ, ㅃ, ㅆ, ㅉ이 됩니다.

★ 자음자와 모음자를 합쳐 글자를 쓰고 읽어 보세요.

까 = ㄲ + ㅏ

꼬 = ㄲ + ㅗ

자음 \ 모음	ㅏ	ㅓ	ㅑ	ㅕ	ㅣ
ㄲ	까				
	ㅗ	ㅜ	ㅛ	ㅠ	ㅡ
	꼬				

★ 빈 곳에 ㄲ을 써서 뜻이 있거나 없는 낱말을 만들고 읽어 보세요.

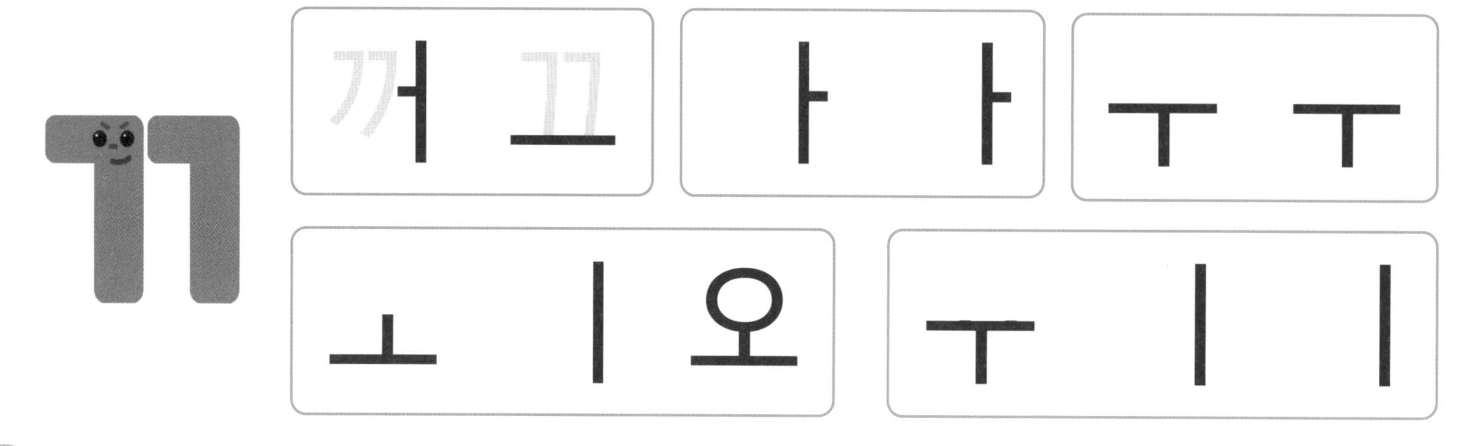

2 자음자 ㄸ 쓰기

소리 내어 읽으면서 순서에 맞게 써 보세요.

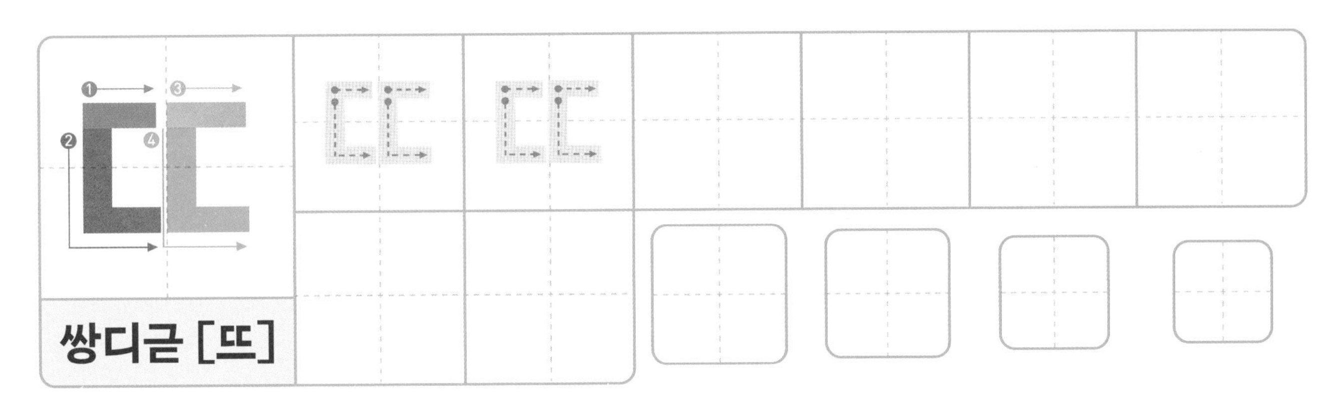

자음자와 모음자를 합쳐 글자를 쓰고 읽어 보세요.

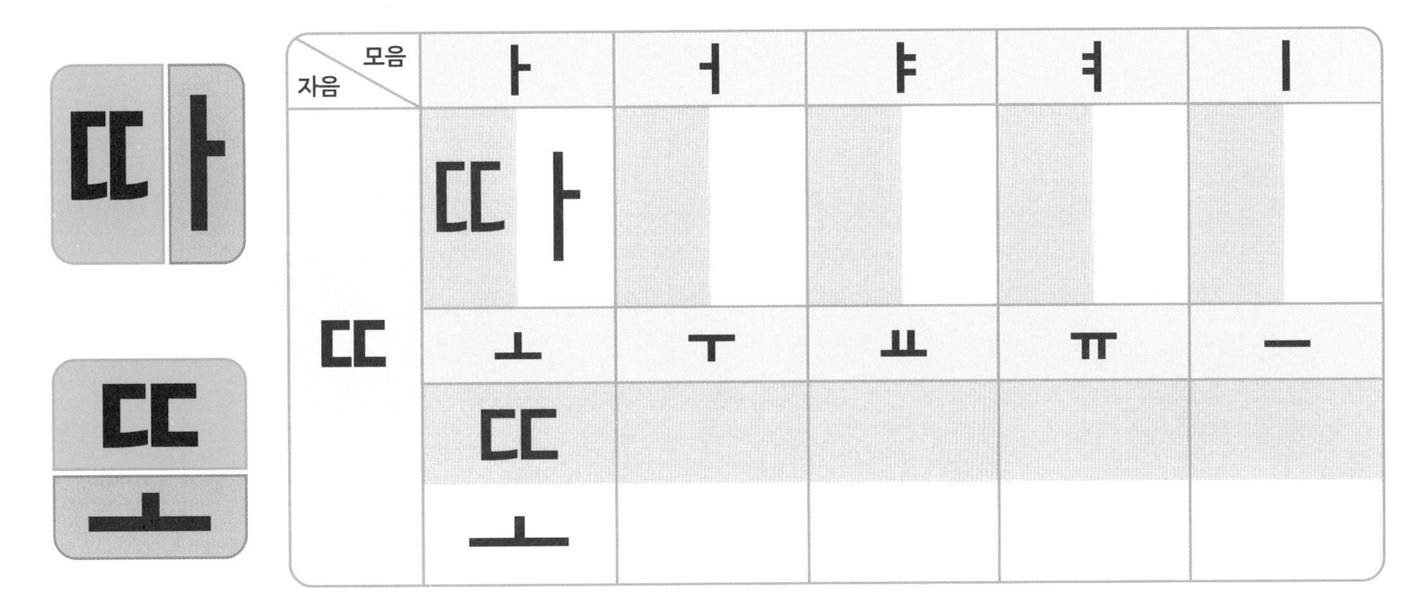

빈 곳에 ㄸ을 써서 뜻이 있거나 없는 낱말을 만들고 읽어 보세요.

3 자음자 ㅃ 쓰기

소리 내어 읽으면서 순서에 맞게 써 보세요.

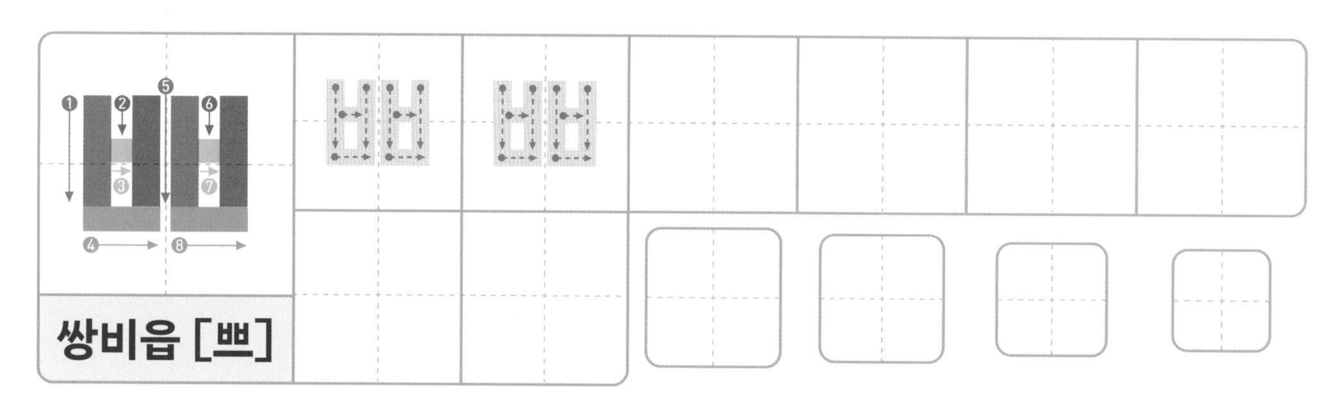

자음자와 모음자를 합쳐 글자를 쓰고 읽어 보세요.

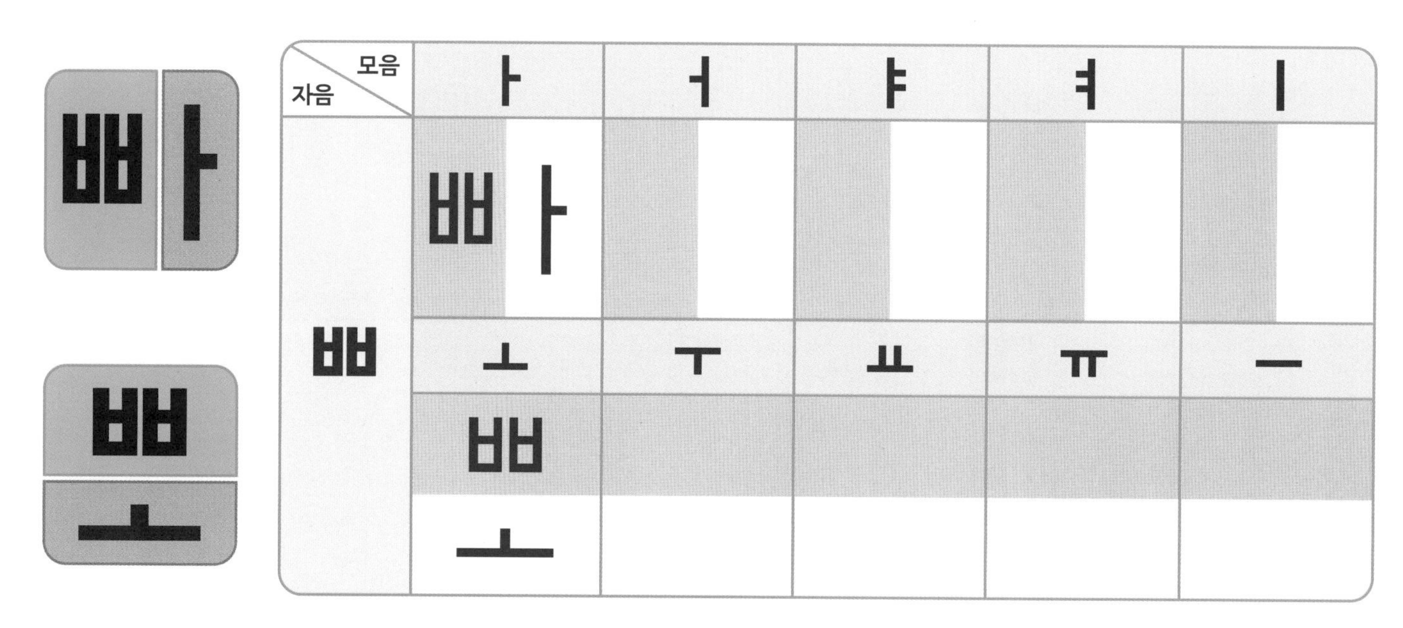

빈 곳에 ㅃ을 써서 뜻이 있거나 없는 낱말을 만들고 읽어 보세요.

4 낱말 쓰기

그림을 보고 ㄲ, ㄸ, ㅃ을 알맞게 넣어 낱말을 완성하고 읽어 보세요.

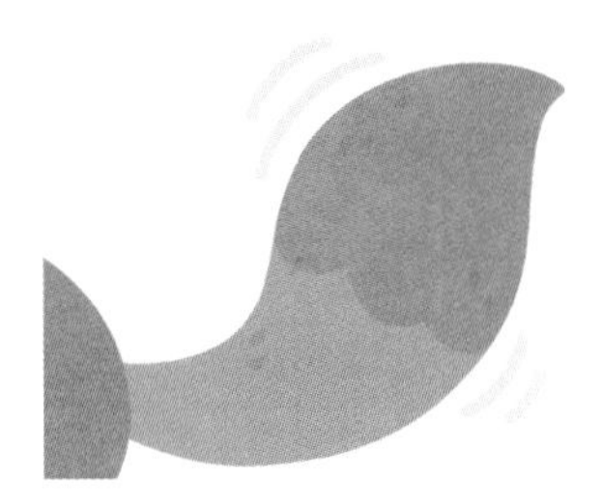

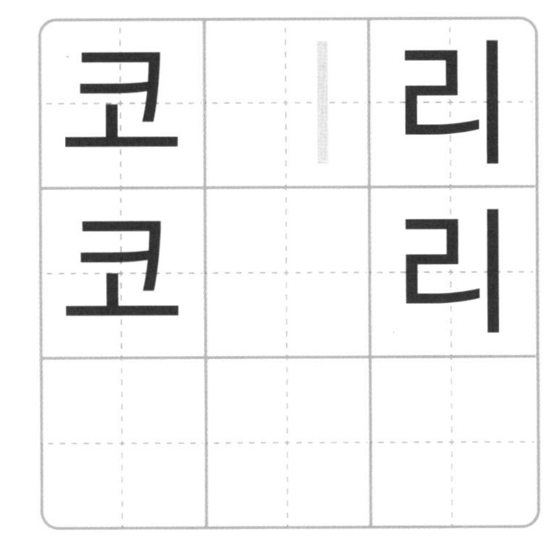

코	ㅣ	리
코		리

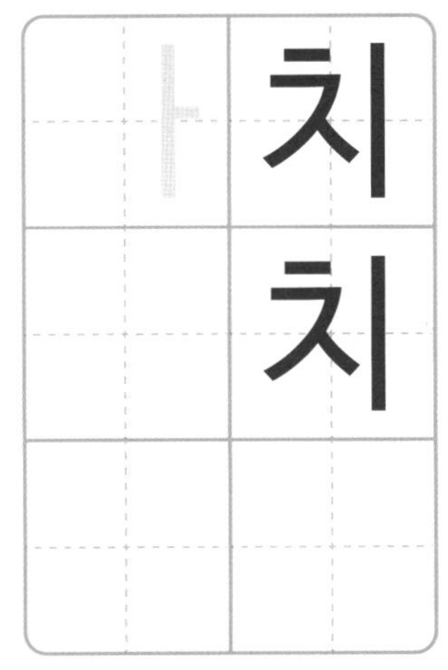

ㅏ	치
	치

ㅗ	리
	리

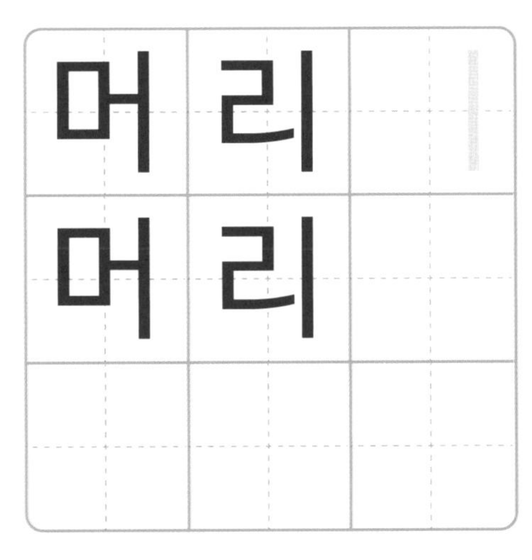

머	리	ㅣ
머	리	

ㅏ	개
	개

ㅓ

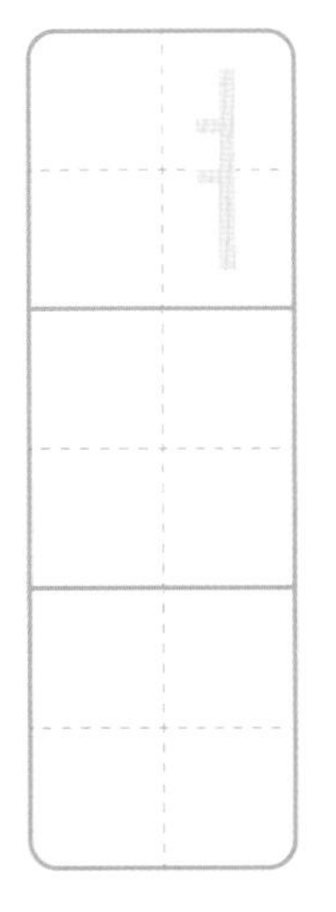

오	ㅏ
오	

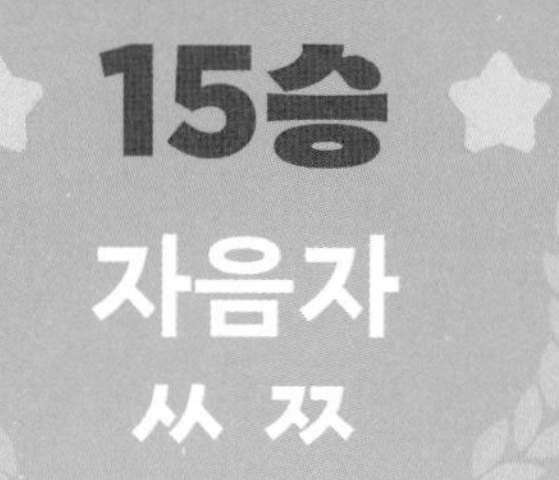

1 자음자 ㅆ 쓰기

★ 소리 내어 읽으면서 순서에 맞게 써 보세요.

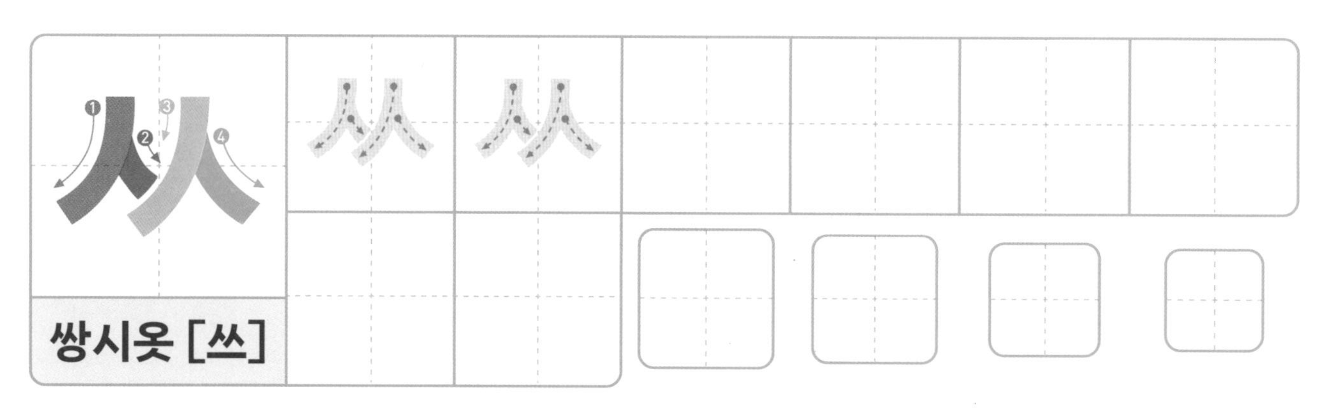

★ 자음자와 모음자를 합쳐 글자를 쓰고 읽어 보세요.

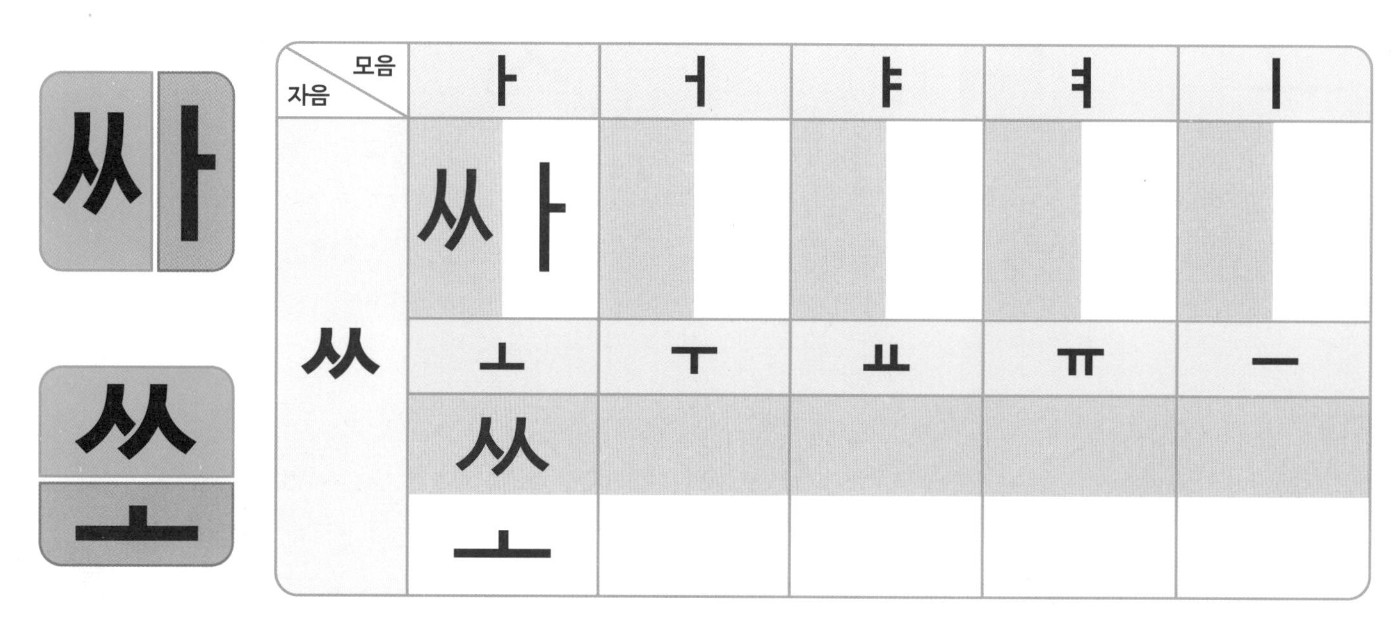

★ 빈 곳에 ㅆ을 써서 뜻이 있거나 없는 낱말을 만들고 읽어 보세요.

2 자음자 ㅉ 쓰기

★ 소리 내어 읽으면서 순서에 맞게 써 보세요.

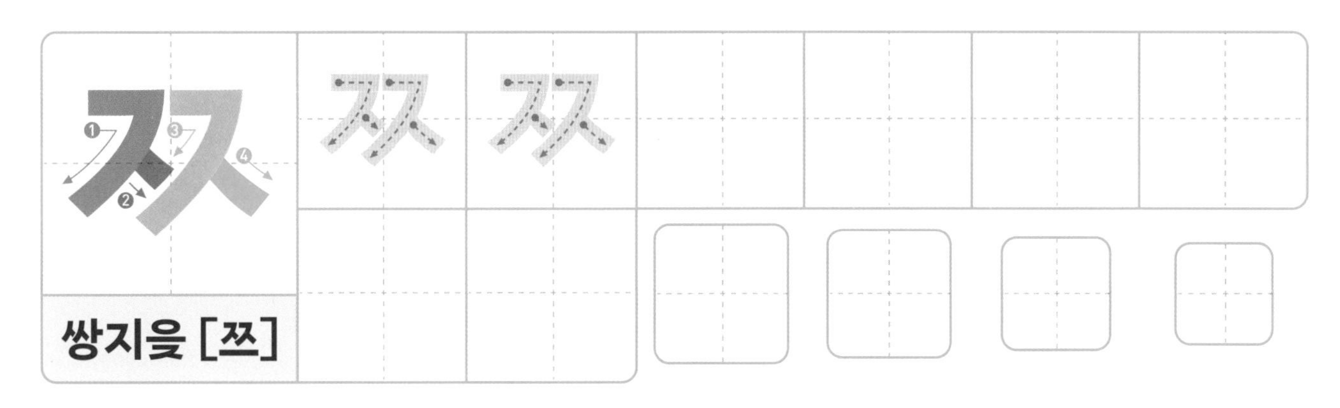

★ 자음자와 모음자를 합쳐 글자를 쓰고 읽어 보세요.

짜 ㅏ

ㅉ ㅗ

자음 \ 모음	ㅏ	ㅓ	ㅑ	ㅕ	ㅣ
ㅉ	ㅉ ㅏ				
	ㅗ	ㅜ	ㅛ	ㅠ	ㅡ
	ㅉ ㅗ				

★ 빈 곳에 ㅉ을 써서 뜻이 있거나 없는 낱말을 만들고 읽어 보세요.

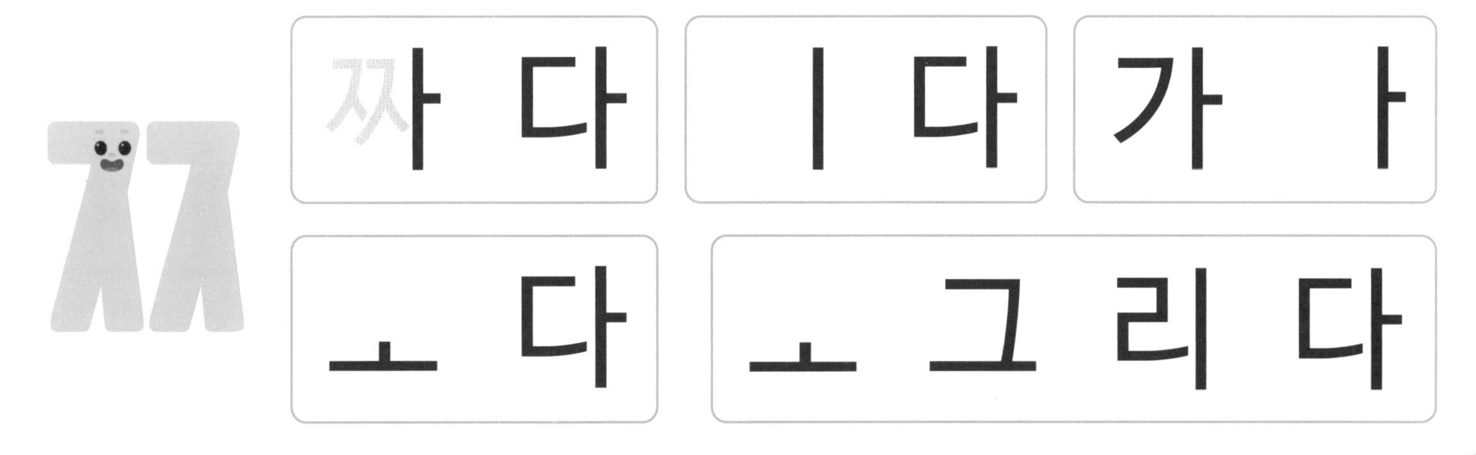

3 낱말 쓰기

그림을 보고 ㅆ, ㅉ을 알맞게 넣어 낱말을 완성하고 읽어 보세요.

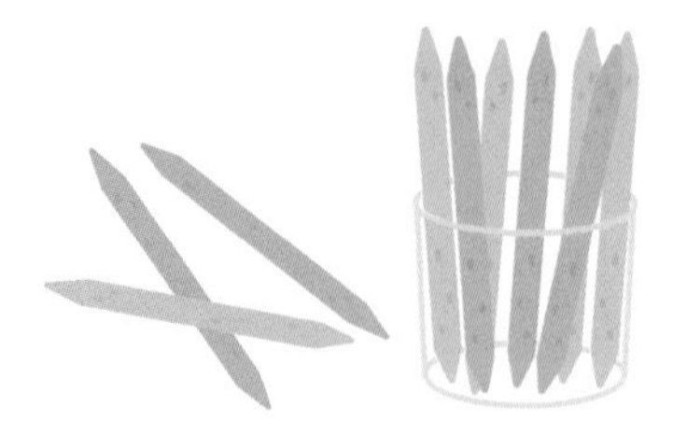

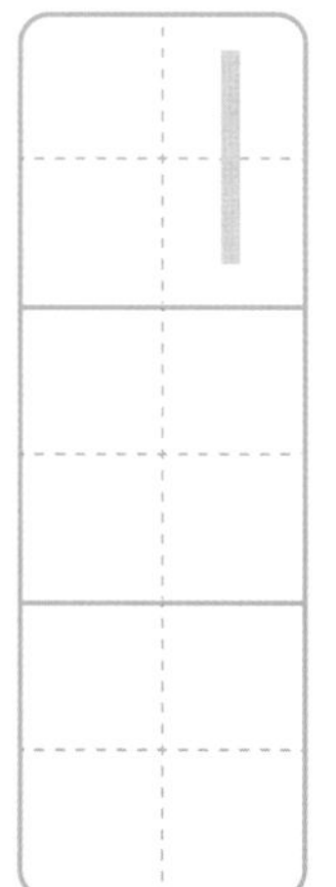

아	저	ㅣ
아	저	

이	ㅜ	시	개
이		시	개

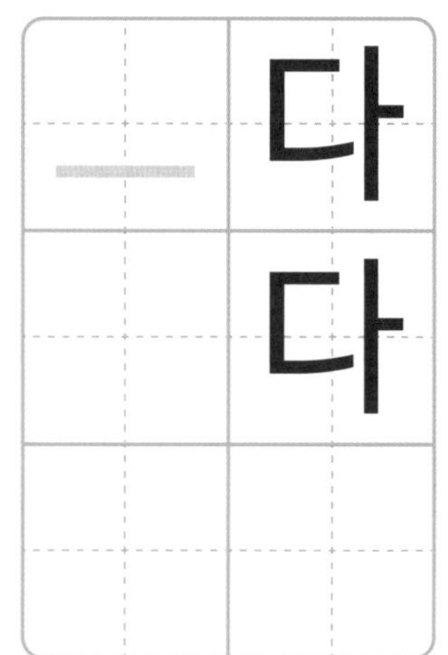

ㅡ	다
	다

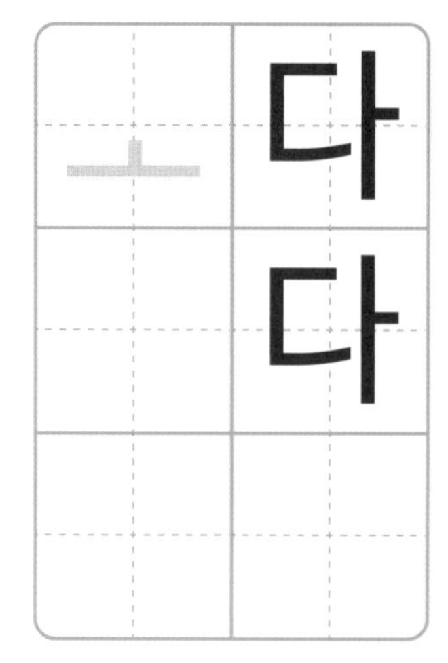

ㅗ	다
	다

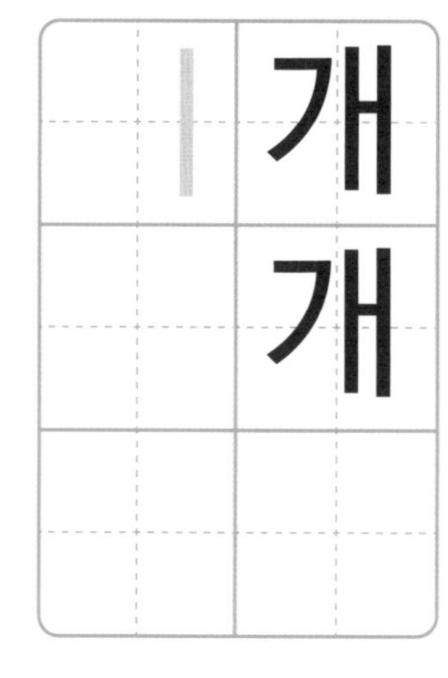

ㅣ	개
	개

ㅏ	다
	다

4 낱말 놀이

자음자 ㄲ, ㄸ, ㅃ, ㅆ, ㅉ이 있는 글자를 보기 에서 찾아 재미있는 표현을 완성해 보세요.

보기 찌 쏴 뽀 삐 또 끼

끼	리	끼	리
또	르	르	
뽀	그	르	르
삐	뽀	삐	뽀
쏴	쏴		
찌	르	르	

낱말 찾기

★ 글자판에서 보기 에 있는 낱말을 찾아 ○하세요.

보기 하키 사자 초 포도 두루미 너구리

두	루	미	마	수
러	나	너	구	리
푸	포	도	두	저
초	바	아	사	자
차	하	키	주	소

알맞은 자음자 찾기

★ 낱말의 빈 곳에 알맞은 자음자를 보기 에서 찾아 쓰고, 소리 내어 읽어 보세요.

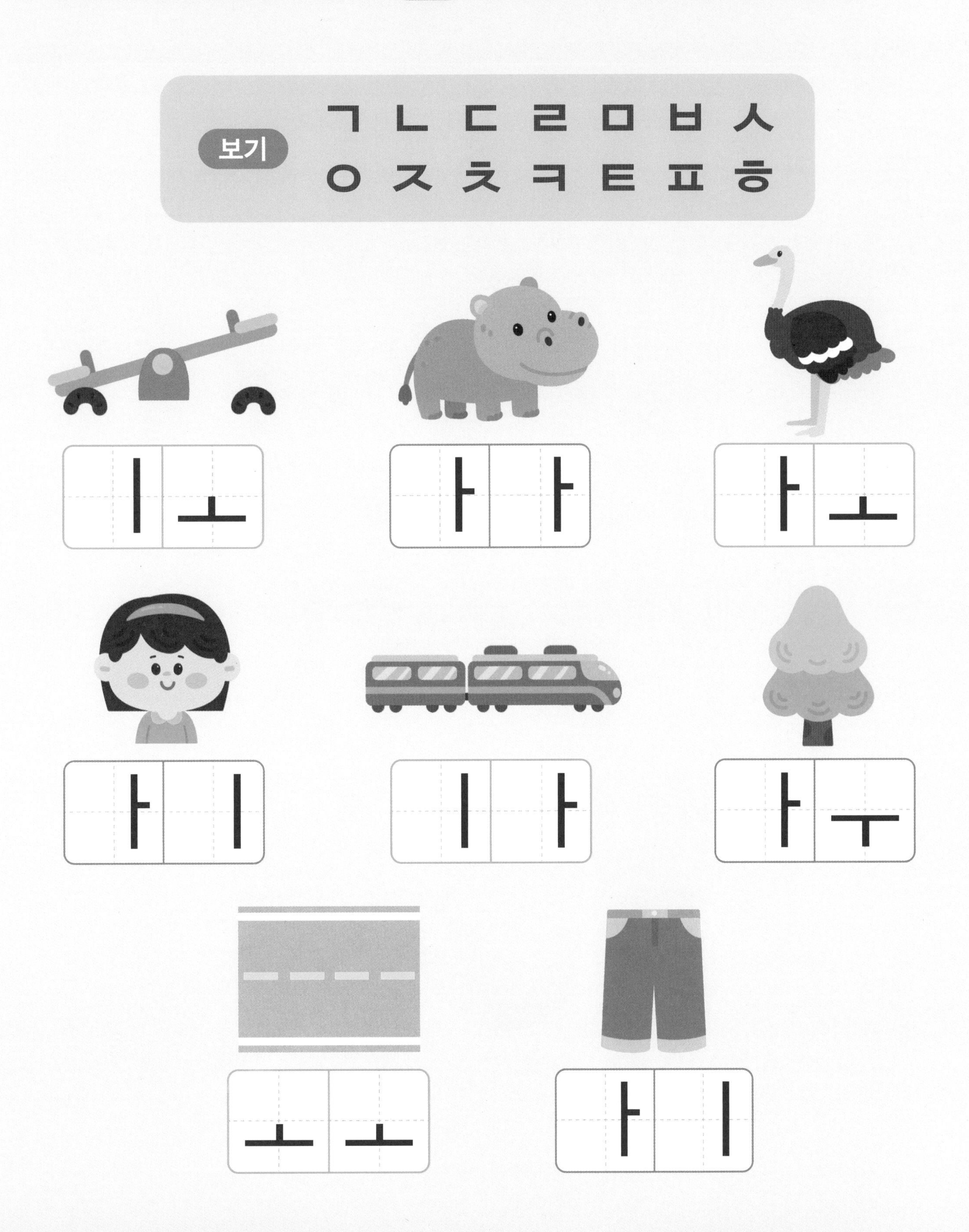

글자 만들기 ㄱ ~ ㅅ

빈칸에 알맞은 글자를 써서 글자표를 완성하고, 소리 내어 읽어 보세요.

자음자 \ 모음자	ㅏ	ㅑ	ㅓ	ㅕ	ㅗ	ㅛ	ㅜ	ㅠ	ㅡ	ㅣ
ㄱ	가	갸		겨	고	교		규	그	기
ㄴ	나	냐	너		노	뇨	누	뉴	느	니
ㄷ		댜	더	뎌		됴	두	듀	드	디
ㄹ	라		러	려	로		루	류	르	리
ㅁ	마	먀		며	모	묘		뮤	므	미
ㅂ	바	뱌	버		보	뵤	부			비
ㅅ	사	샤	서	셔		쇼	수	슈	스	

ㄱ부터 ㅎ까지 글자표에 있는 글자를 찾아 낱말을 완성해 보세요.

글자 만들기 ㅇ~ㅎ

빈칸에 알맞은 글자를 써서 글자표를 완성하고, 소리 내어 읽어 보세요.

자음자 \ 모음자	ㅏ	ㅑ	ㅓ	ㅕ	ㅗ	ㅛ	ㅜ	ㅠ	ㅡ	ㅣ
ㅇ	아	야	어		오	요	우		으	이
ㅈ	자	쟈	저	져		죠		쥬	즈	지
ㅊ	차	챠	처	쳐	초		추	츄	츠	치
ㅋ		캬	커	켜	코	쿄		큐	크	키
ㅌ	타		터	텨	토	툐	투		트	티
ㅍ	파	퍄		펴	포	표	푸	퓨		피
ㅎ	하	햐	허		호	효	후	휴	흐	

ㄱ부터 ㅎ까지 글자표에 있는 글자를 찾아 낱말을 완성해 보세요.

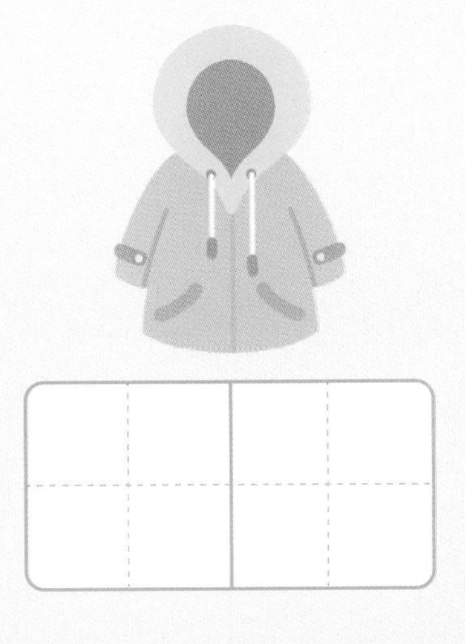

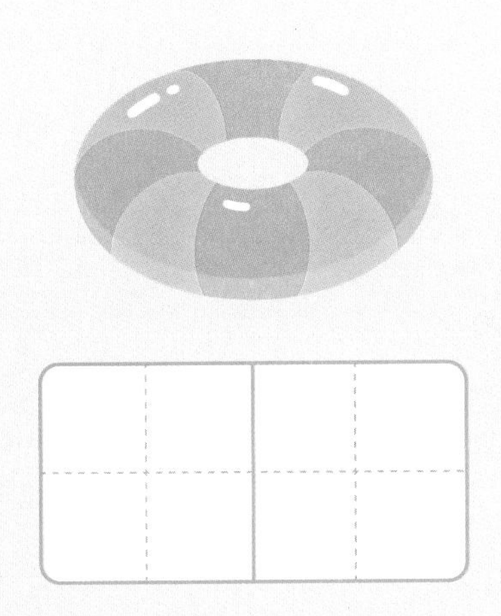

1 복잡한 모음 ㅐ ㅔ 쓰기

★ 소리 내어 읽으면서 순서에 맞게 써 보세요.

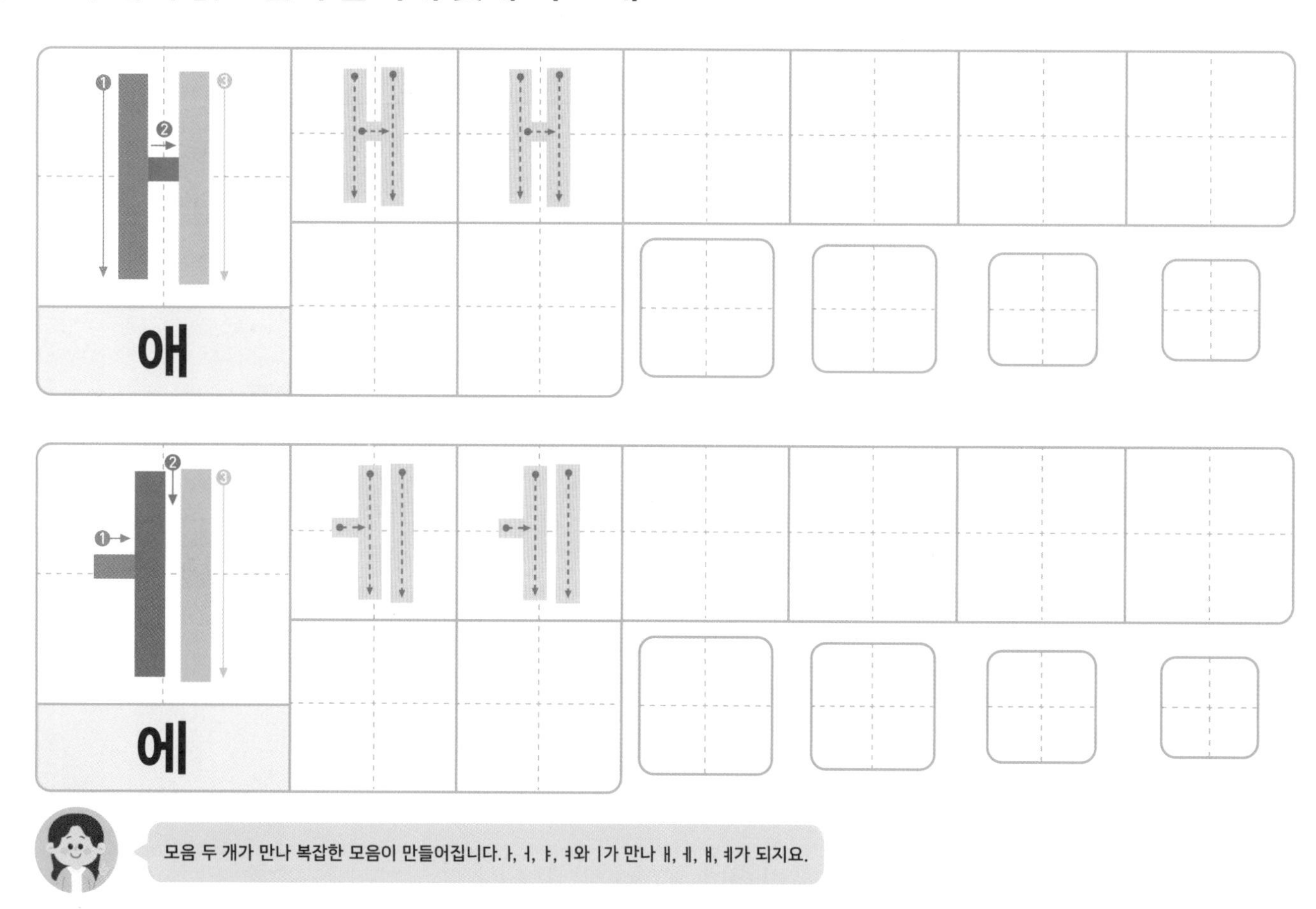

★ 자음자와 모음자를 합쳐 글자를 쓰고 읽어 보세요.

자음＼모음	ㅐ	ㅔ
ㄱ	개	
ㄴ		
ㄷ		

자음＼모음	ㅐ	ㅔ
ㅅ	새	
ㅈ		
ㅎ		

2 낱말 쓰기

★ 그림을 보고 ㅐ 또는 ㅔ를 넣어 낱말을 완성하고 읽어 보세요.

3 복잡한 모음 ㅒ ㅖ 쓰기

★ 소리 내어 읽으면서 순서에 맞게 써 보세요.

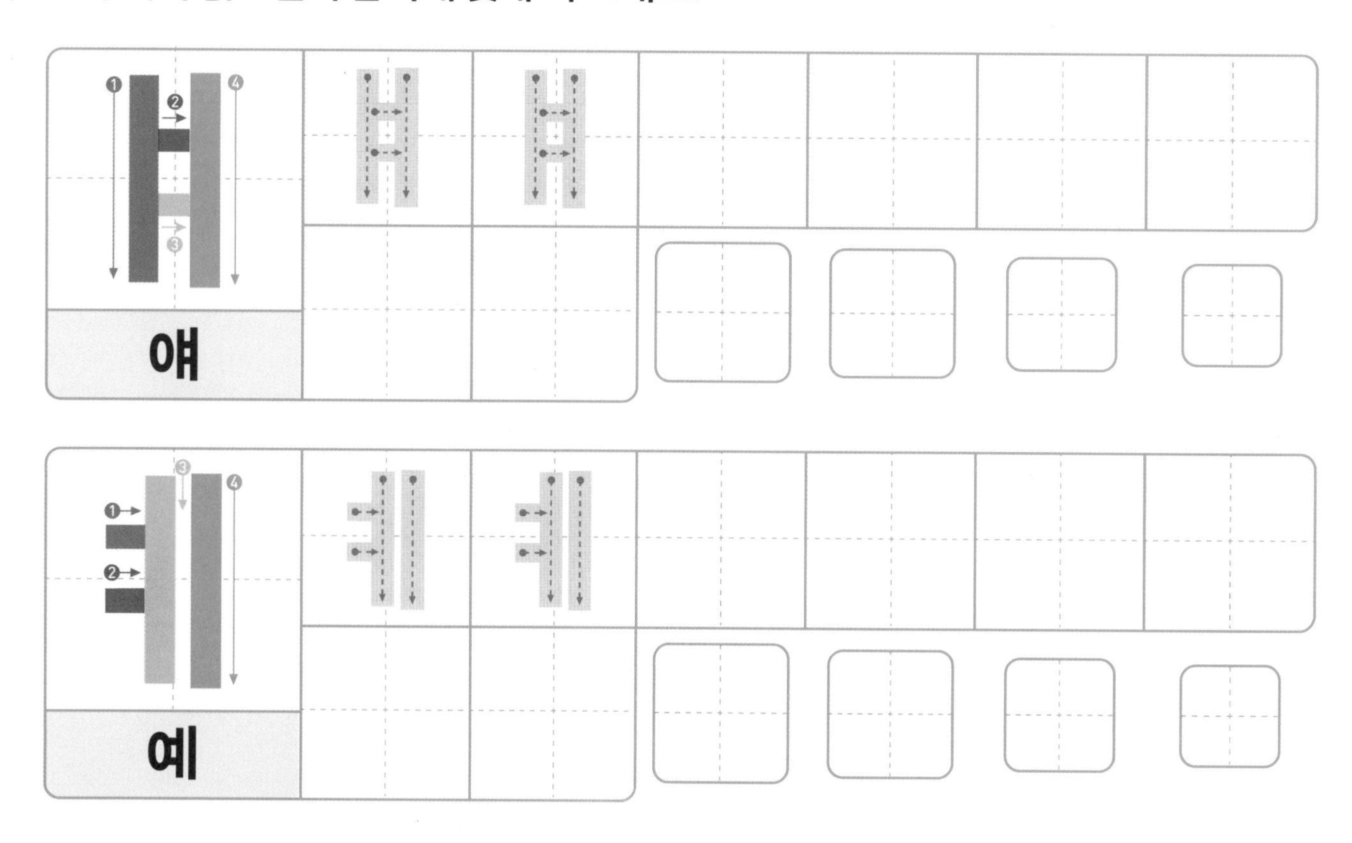

★ 자음자와 모음자를 합쳐 글자를 쓰고 읽어 보세요.

자음 \ 모음	ㅒ	ㅖ
ㄱ	걔	
ㄴ		
ㄷ		

자음 \ 모음	ㅒ	ㅖ
ㅇ	얘	
ㅈ		
ㅍ		

4 낱말 쓰기

★ 그림을 보고 ㅐ 또는 ㅔ를 넣어 낱말을 완성하고 읽어 보세요.

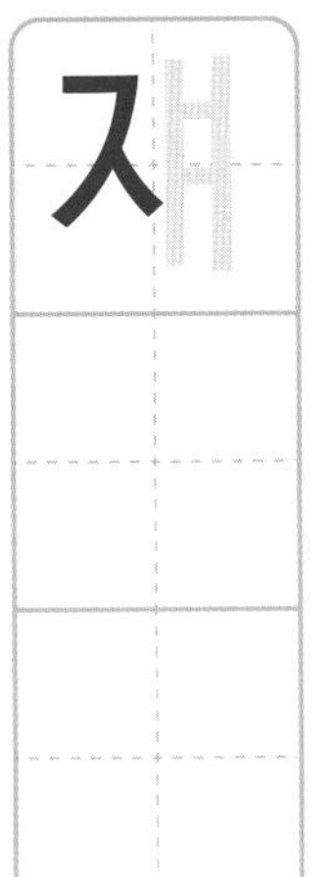

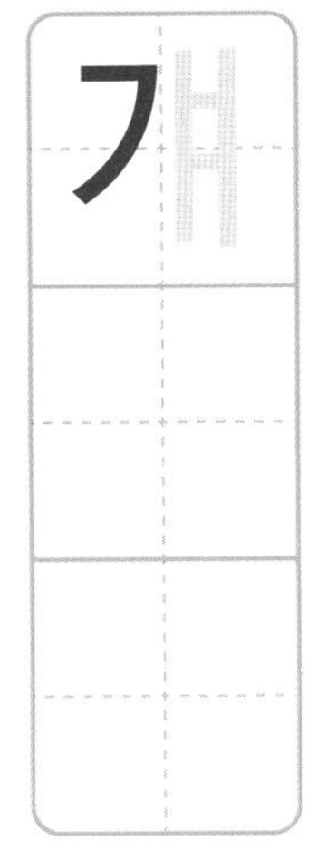

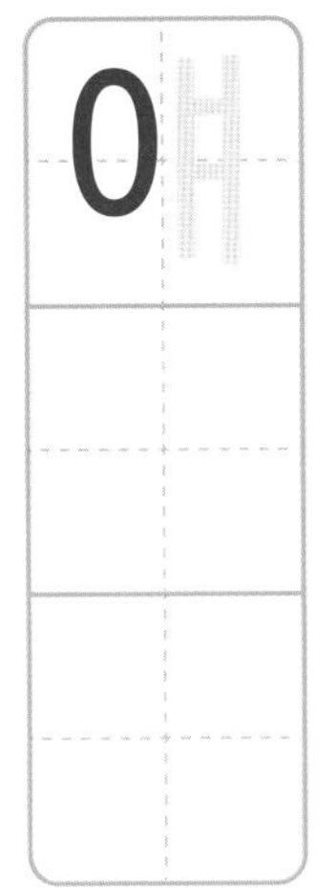

ㅇㅐ 기
기

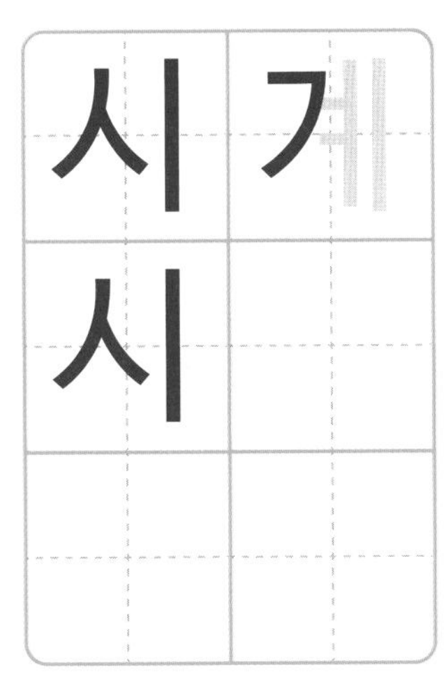

ㅇㅔ 의
의

차 ㄹㅔ
차

지 ㅍㅔ
지

1 복잡한 모음 ㅘ ㅝ 쓰기

★ 소리 내어 읽으면서 순서에 맞게 써 보세요.

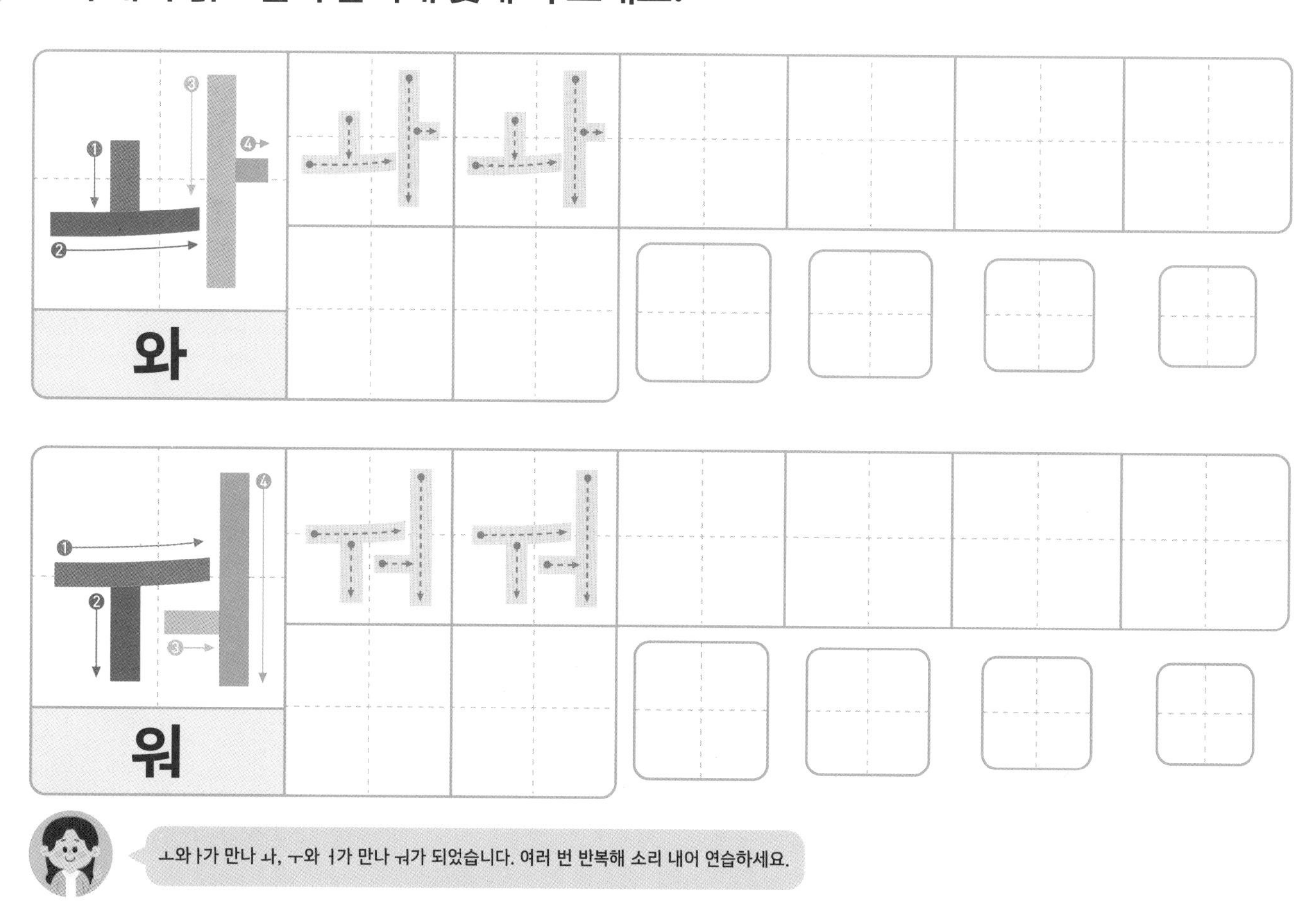

ㅗ와 ㅏ가 만나 ㅘ, ㅜ와 ㅓ가 만나 ㅝ가 되었습니다. 여러 번 반복해 소리 내어 연습하세요.

★ 자음자와 모음자를 합쳐 글자를 쓰고 읽어 보세요.

자음 \ 모음	ㅘ	ㅝ
ㄱ	과	
ㄴ		
ㅁ		

자음 \ 모음	ㅘ	ㅝ
ㅂ	봐	
ㅇ		
ㅈ		

2 낱말 쓰기

그림을 보고 ㅘ 또는 ㅝ를 넣어 낱말을 완성하고 읽어 보세요.

과	자
	자

기	와
기	

사	과
사	

화	가
	가

고	마	워
고	마	

더	워
더	

추	워
추	

3 복잡한 모음 ㅚ ㅙ ㅞ 쓰기

소리 내어 읽으면서 순서에 맞게 써 보세요.

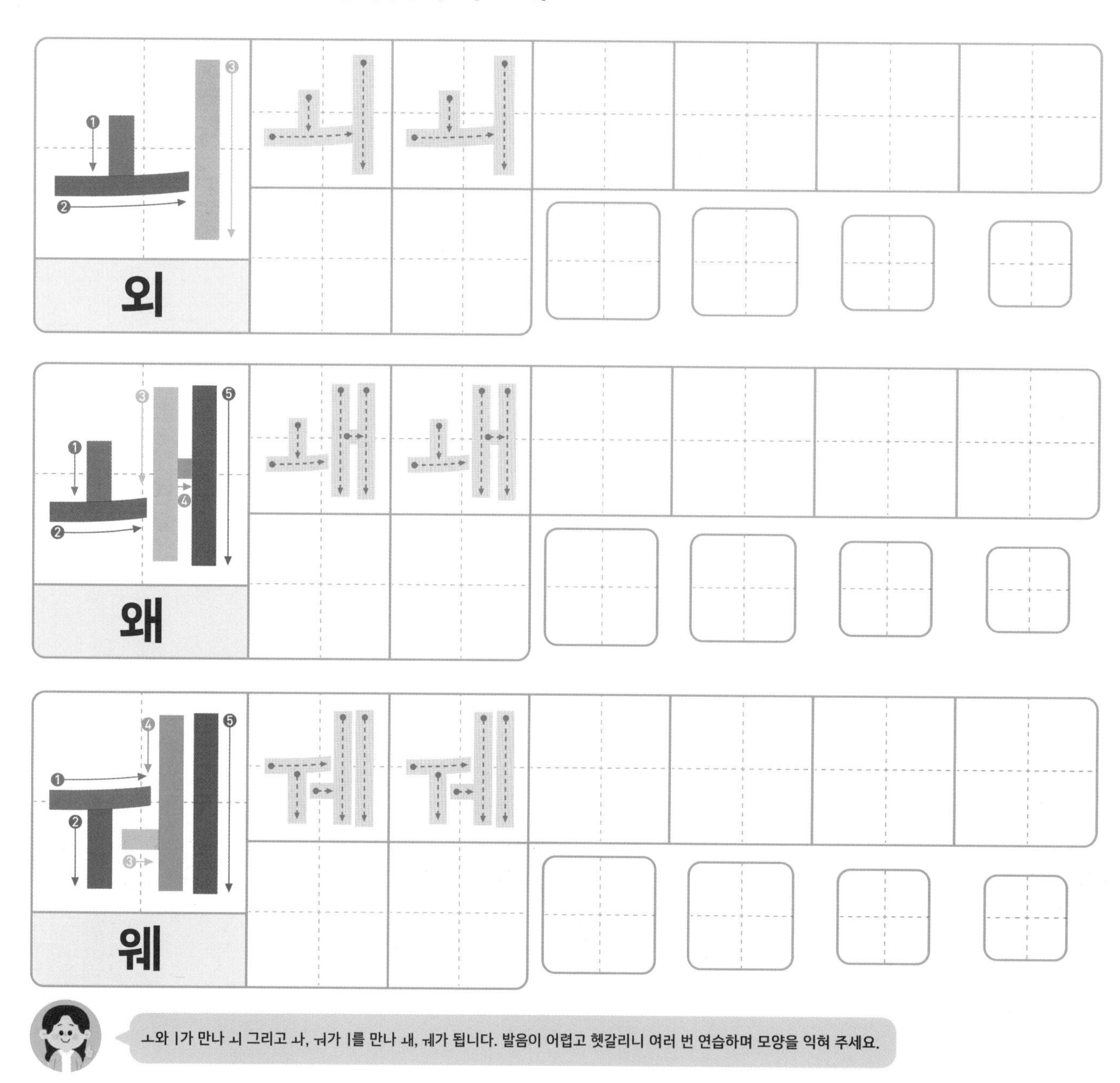

ㅗ와 ㅣ가 만나 ㅚ 그리고 ㅘ, ㅝ가 ㅣ를 만나 ㅙ, ㅞ가 됩니다. 발음이 어렵고 헷갈리니 여러 번 연습하며 모양을 익혀 주세요.

자음자와 모음자를 합쳐 글자를 쓰고 읽어 보세요.

모음 자음	ㅚ	ㅙ	ㅞ
ㅇ	외		

4 낱말 쓰기

★ 그림을 보고 ㅚ, ㅙ 또는 ㅞ를 넣어 낱말을 완성하고 읽어 보세요.

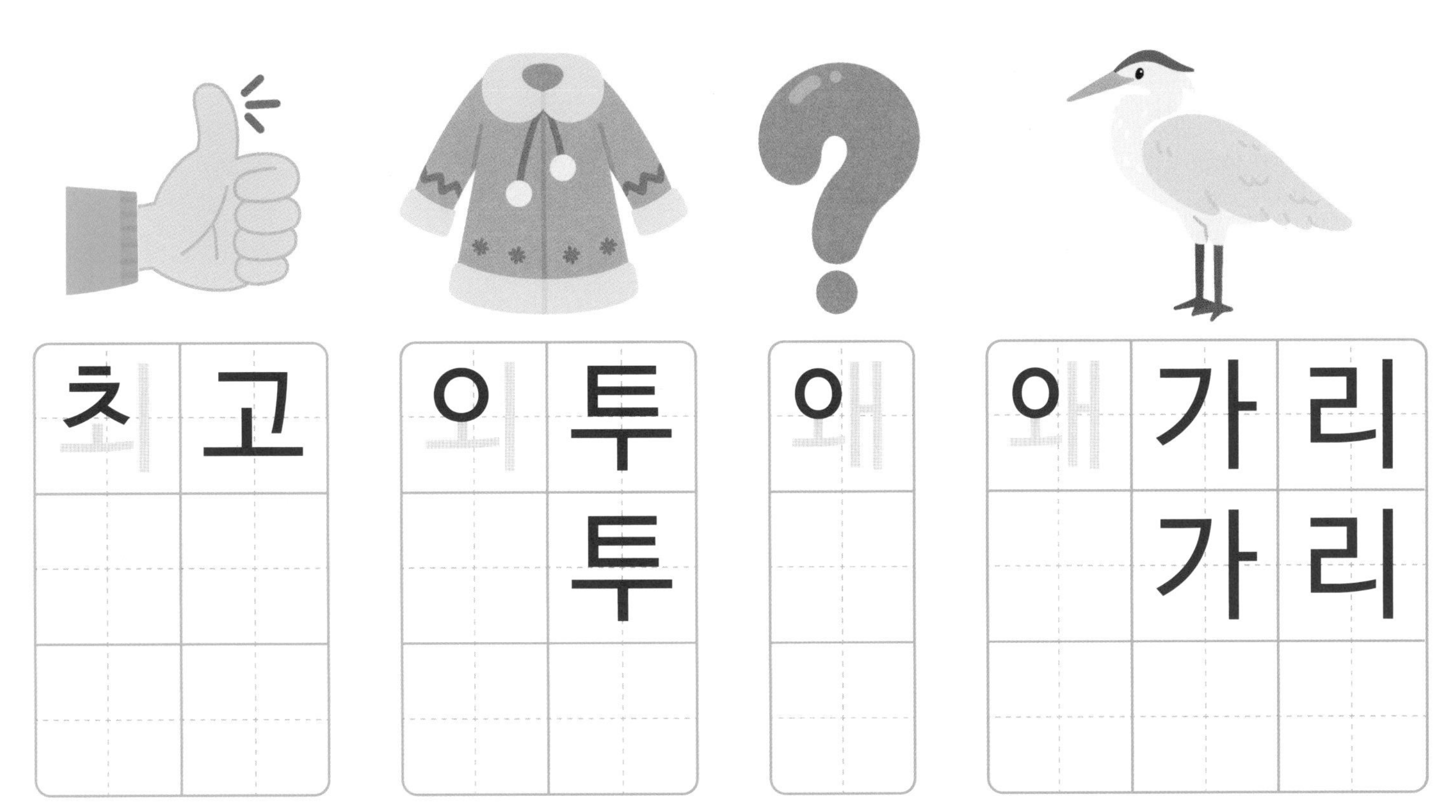

최 고

외 투
　 투

왜

왜 가 리
　 가 리

돼 지
　 지

꿰 매 다
　 매 다

스 웨 터
스 　 터

1 복잡한 모음 ㅟ ㅢ 쓰기

★ 소리 내어 읽으면서 순서에 맞게 써 보세요.

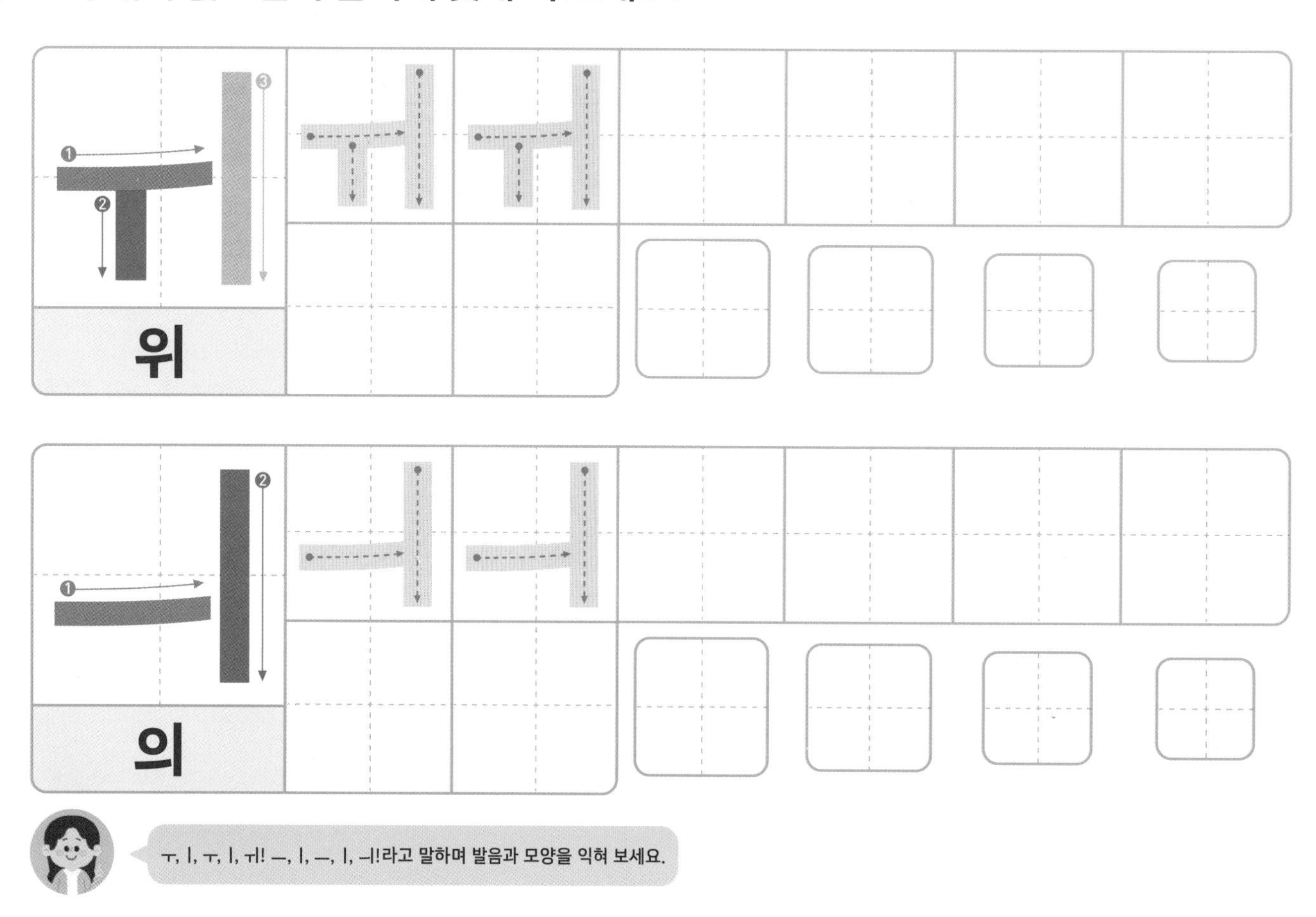

ㅜ, ㅣ, ㅜ, ㅣ, ㅟ! ㅡ, ㅣ, ㅡ, ㅣ, ㅢ!라고 말하며 발음과 모양을 익혀 보세요.

★ 자음자와 모음자를 합쳐 글자를 쓰고 읽어 보세요.

자음 \ 모음	ㅟ	ㅢ
ㄱ	귀	
ㄴ		
ㄷ		

자음 \ 모음	ㅟ	ㅢ
ㅅ	쉬	
ㅈ		
ㅎ		

2 낱말 쓰기

그림을 보고 ㅟ 또는 ㅢ를 넣어 낱말을 완성하고 읽어 보세요.

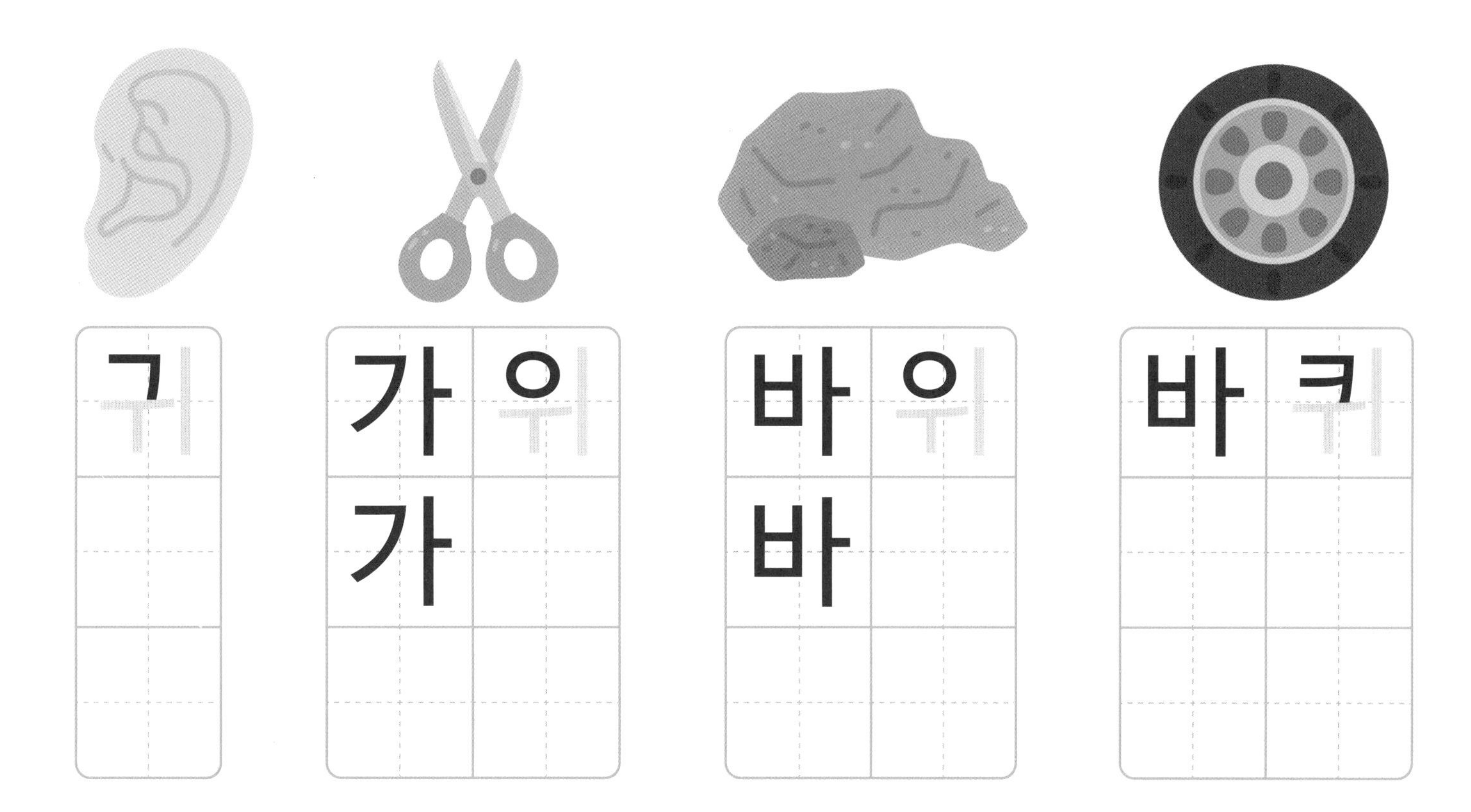

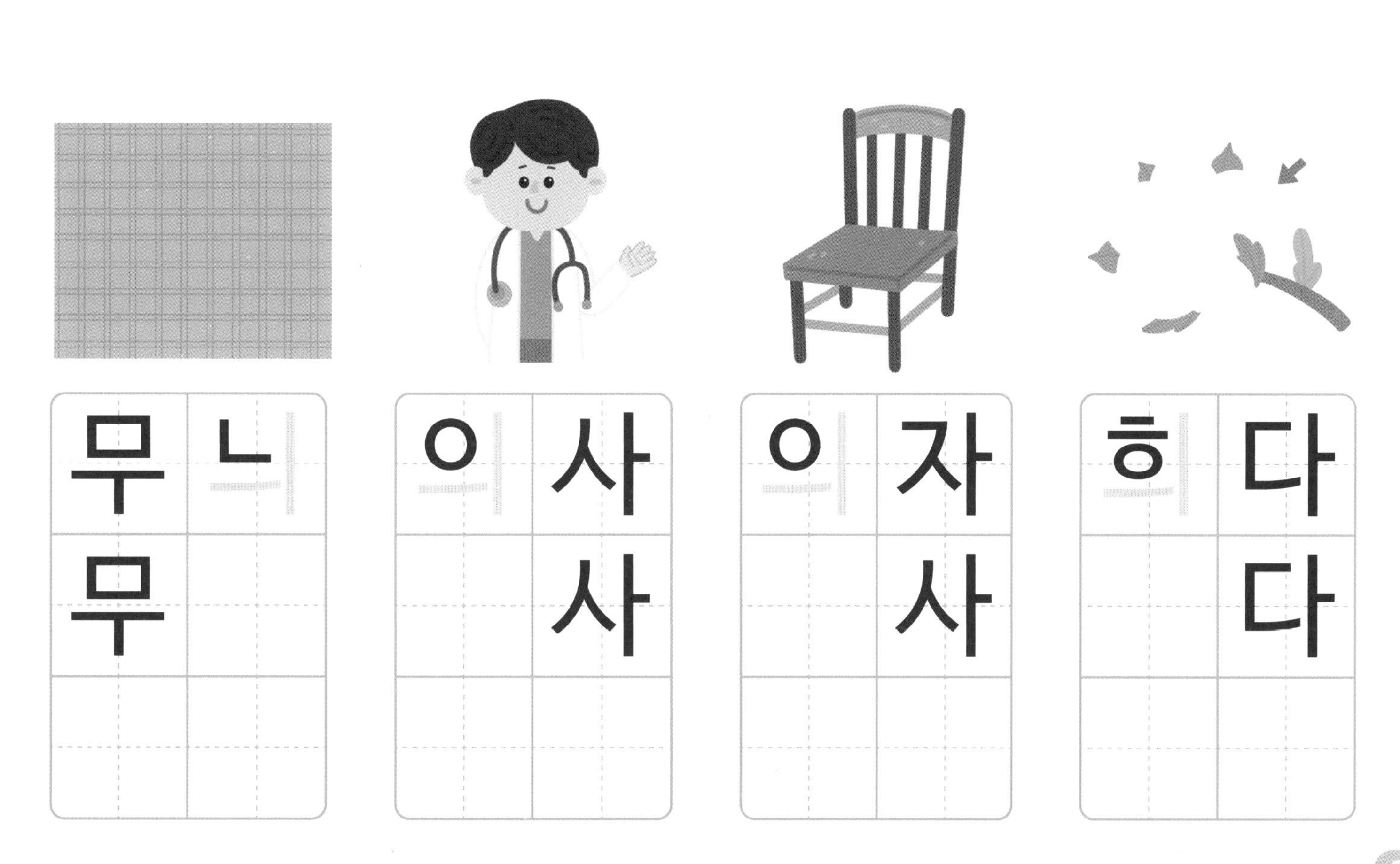

3 복잡한 모음 읽기 연습

복잡한 모음을 보고 알맞게 읽은 것을 찾아 선으로 이어 보세요.

ㅐ •	• 에
ㅔ •	• 외
ㅚ •	• 애
ㅟ •	• 왜
ㅘ •	• 위
ㅙ •	• 와

4 바른 낱말 찾기

★ **그림을 보고 바른 낱말을 찾아 따라 써 보세요.**

야처

야채

의자

위자

추위

추이

기와

기워

의사

의서

바워

바위

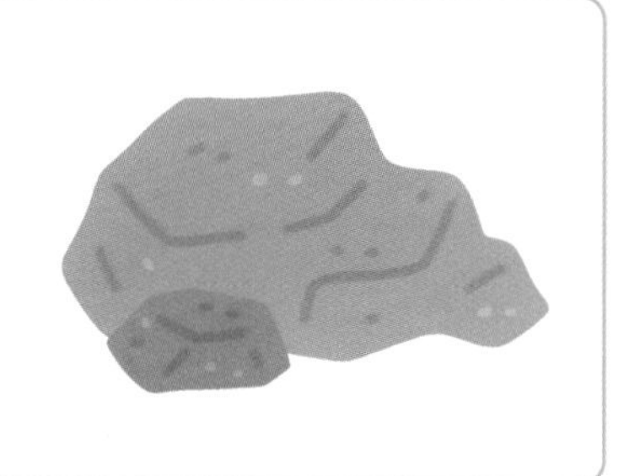

과자

가자

거워

거위

더우

더위

교과서

교가서

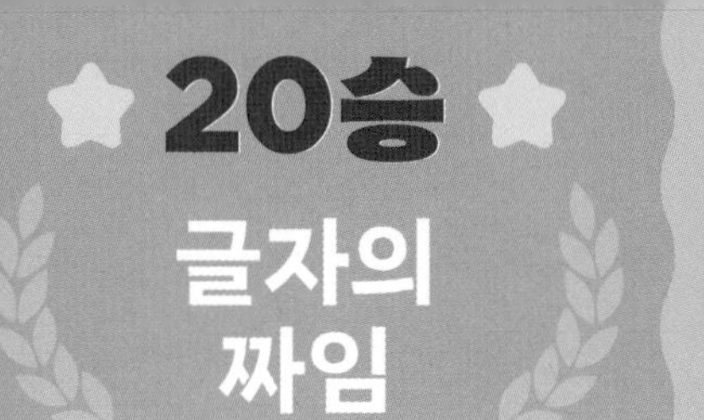

1 글자의 짜임 알기

★ 글자의 짜임을 보고 빈칸에 알맞은 글자와 낱말을 써 보세요.

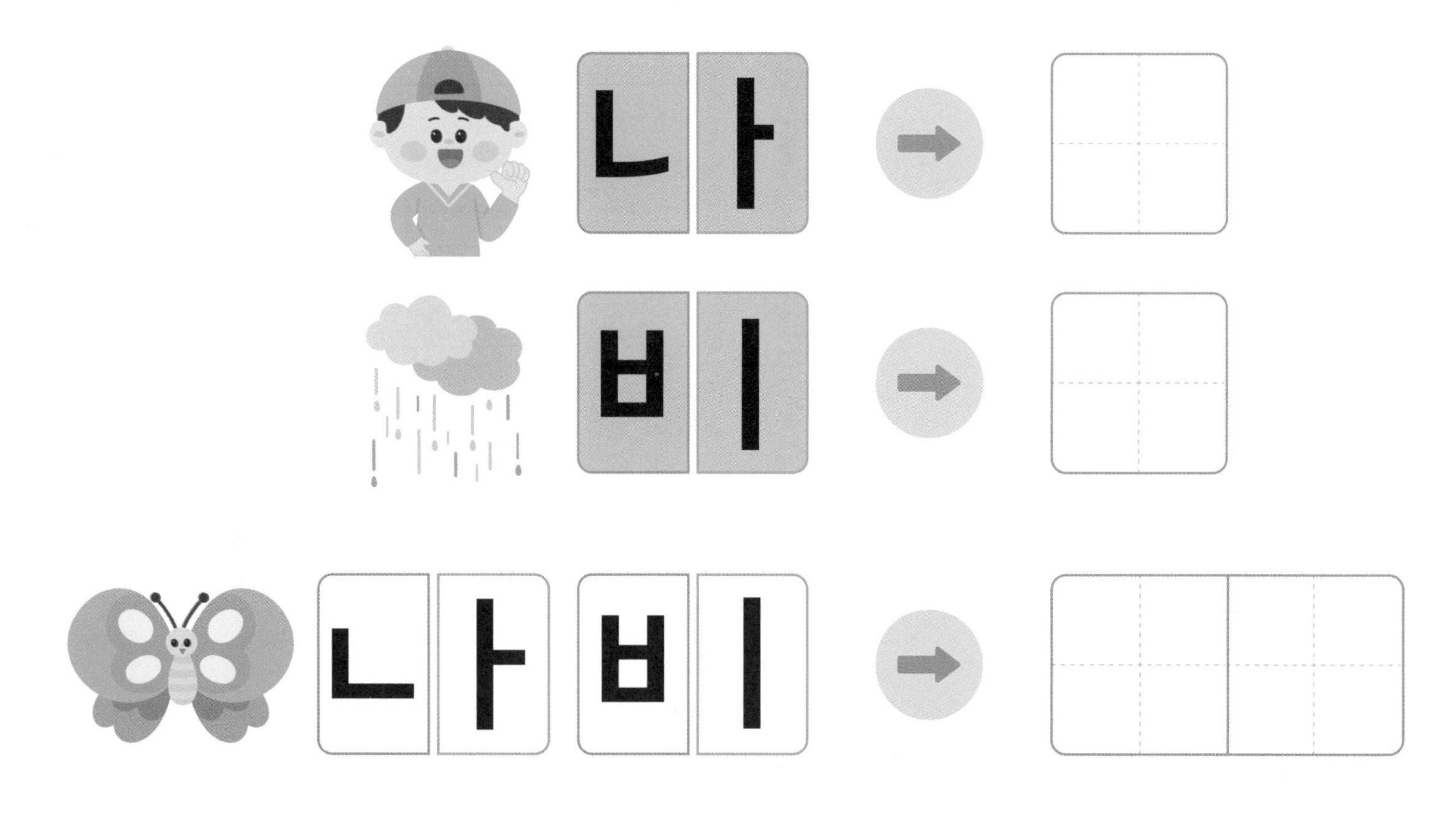

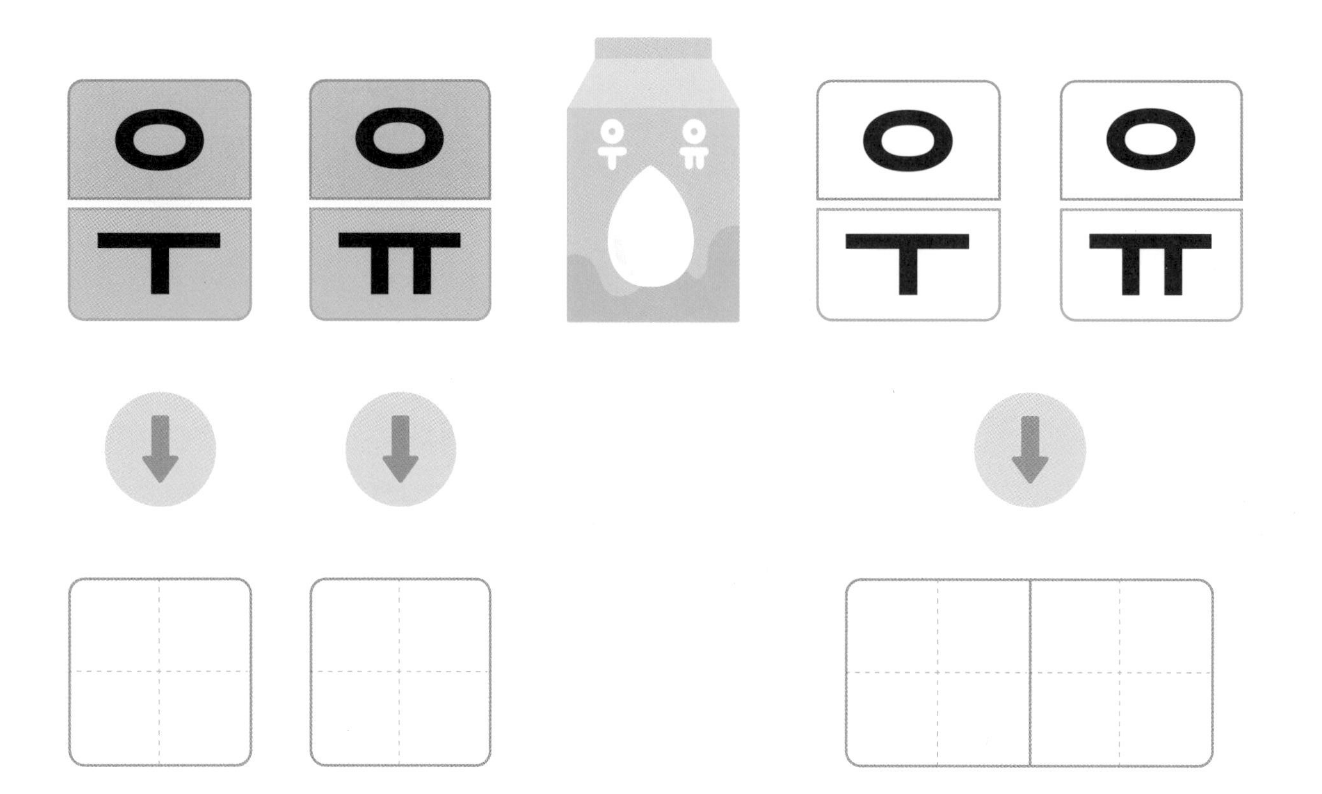

2 글자 만들기

★ 글자의 짜임을 보고 낱말을 완성해 보세요.

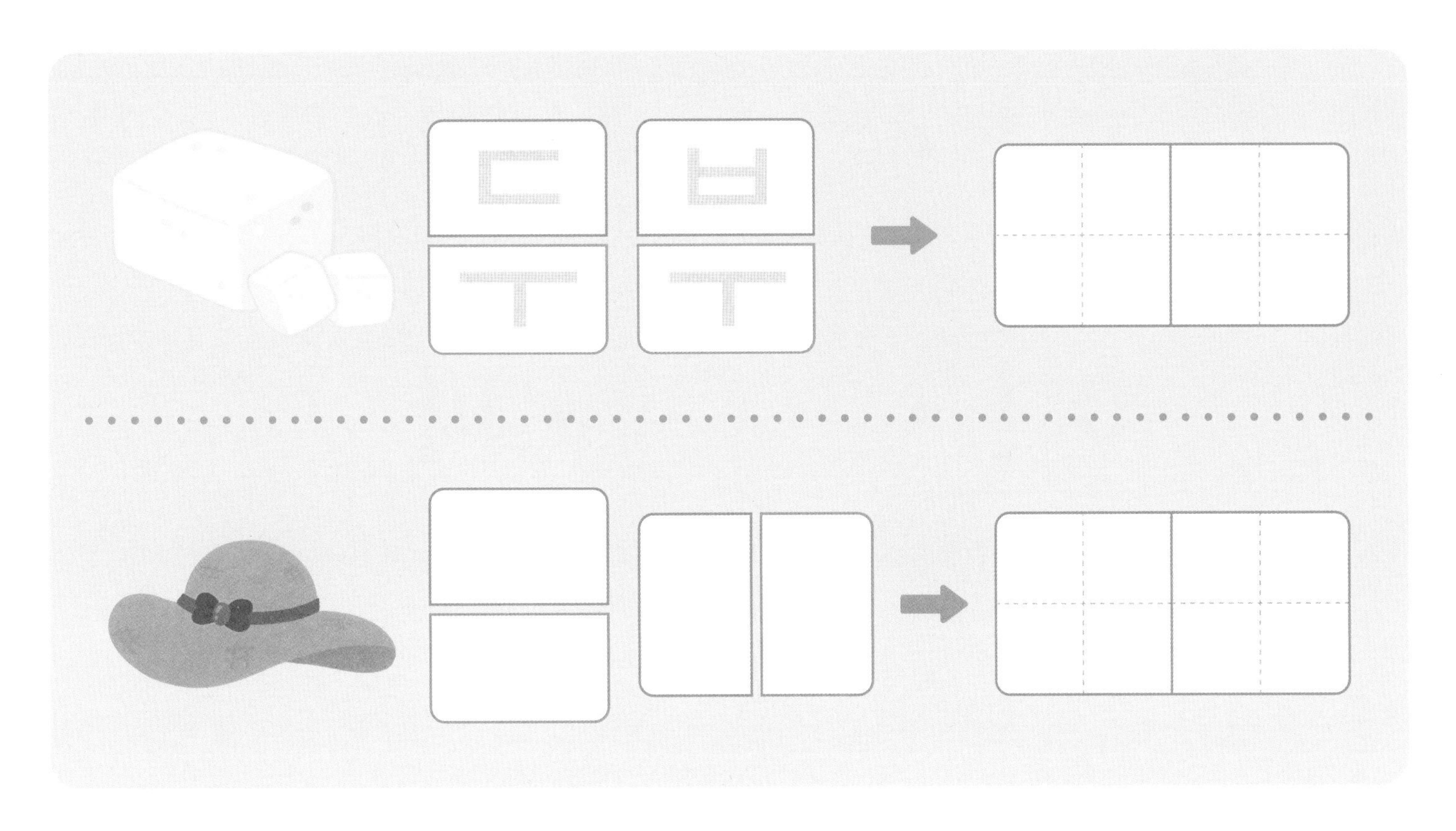

★ 낱말을 글자의 짜임에 맞게 나누어 써 보세요.

3 낱말 쓰기

★ 자음자와 모음자로 만든 글자를 찾아 선을 잇고 빈칸에 써 보세요.

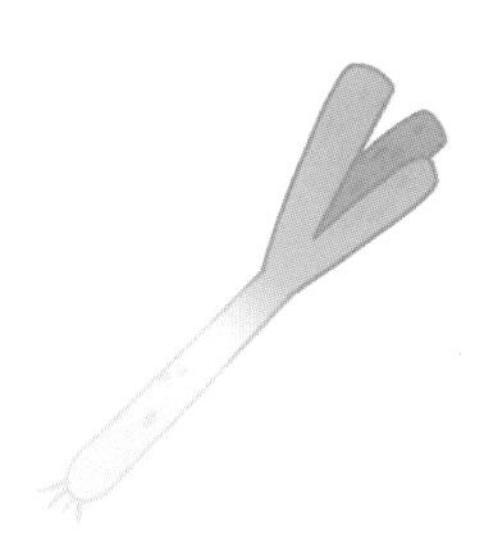
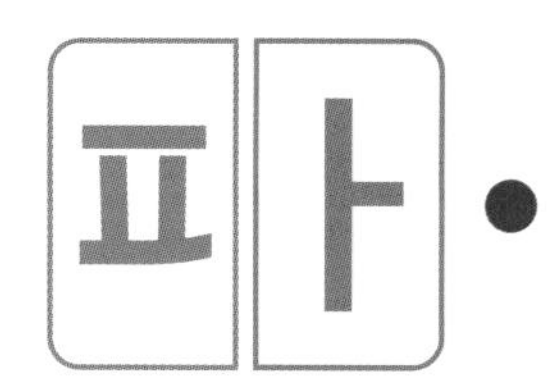

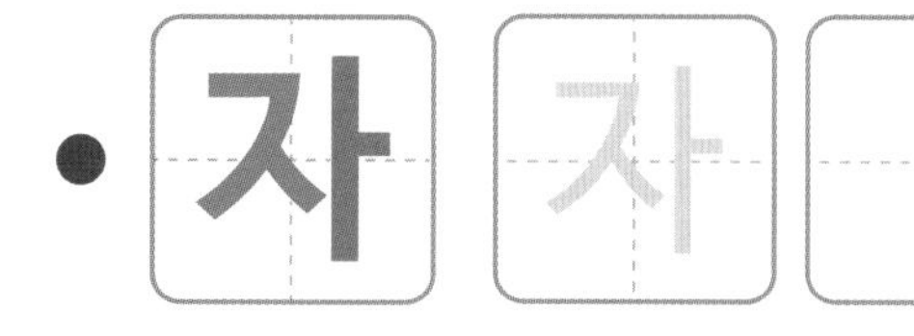

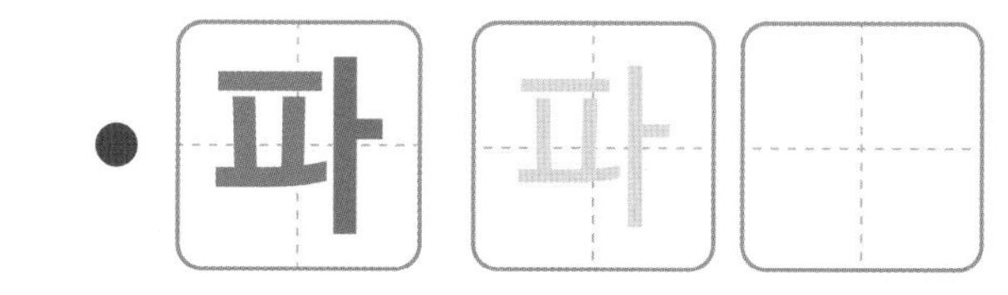

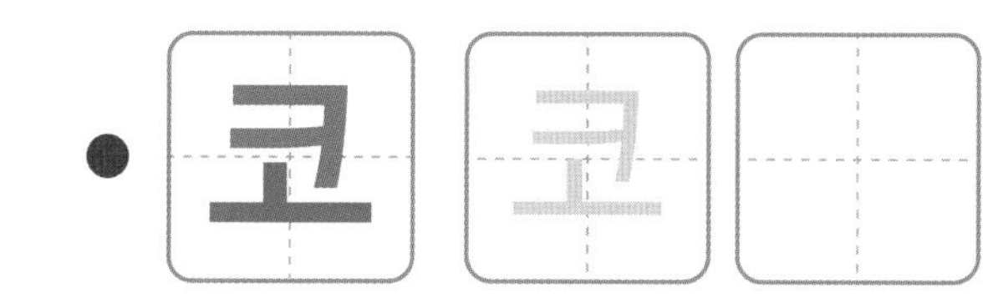

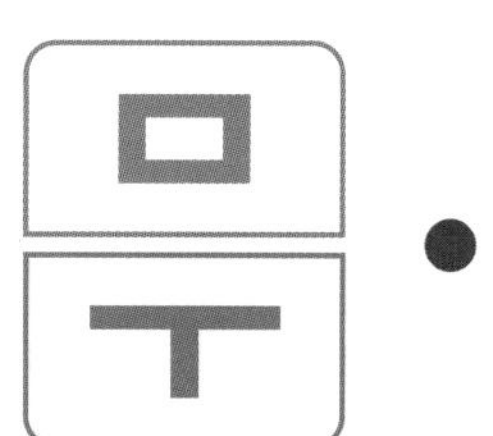

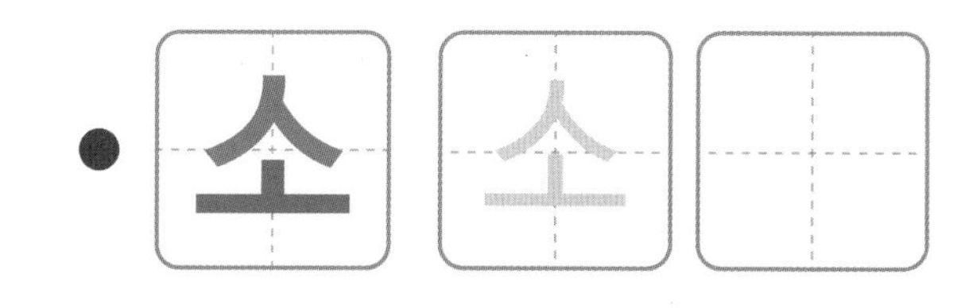

ㅅ
ㅗ
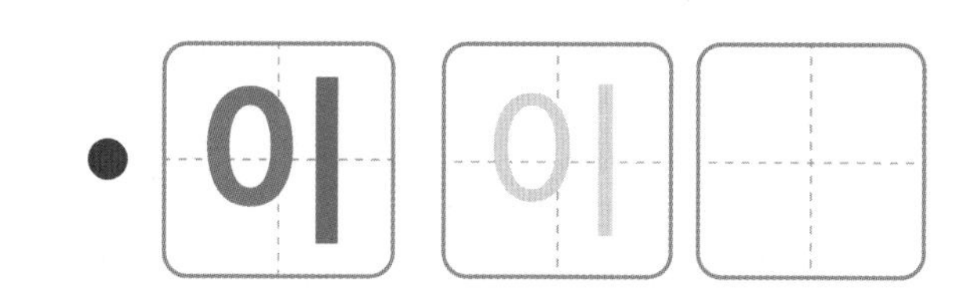

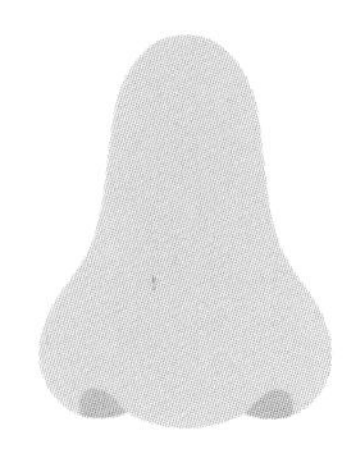
ㅋ
ㅗ
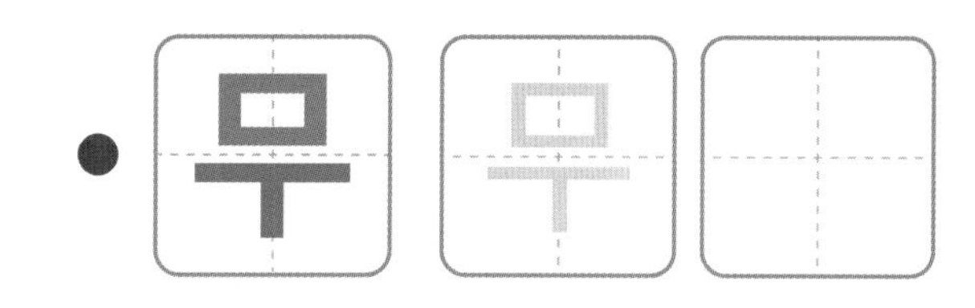

4 낱말 만들기

길을 따라가며 낱말을 만들고 써 보세요.

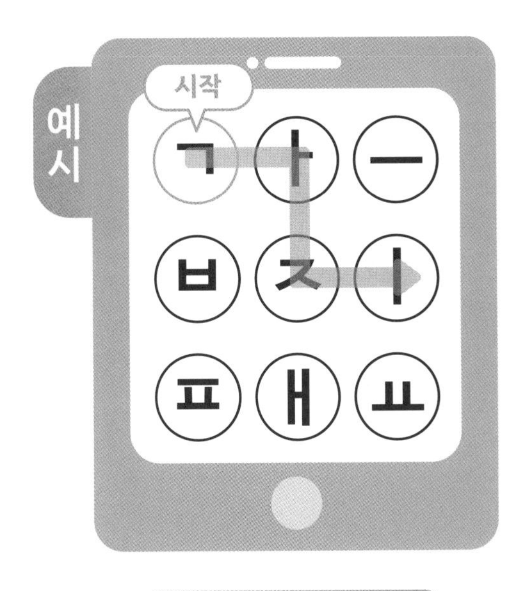

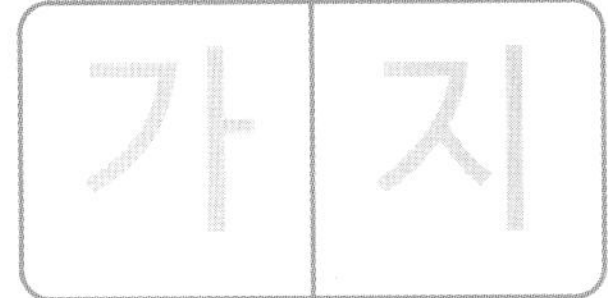

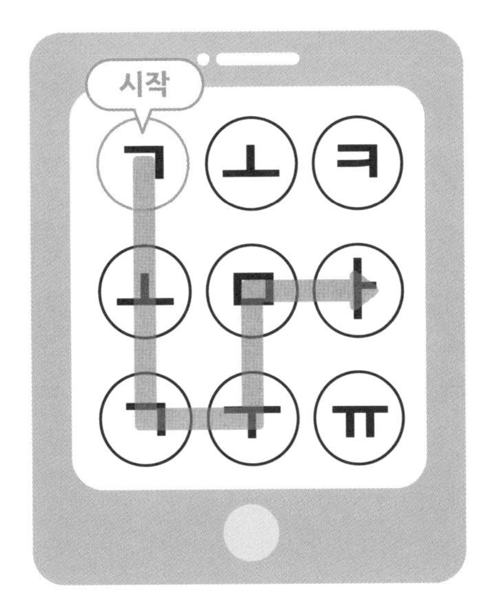

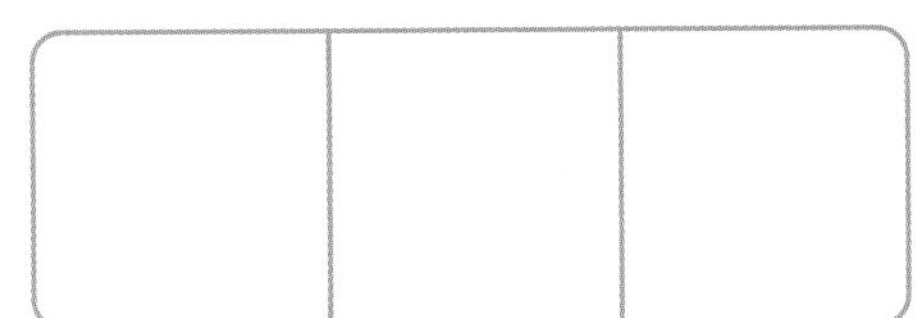

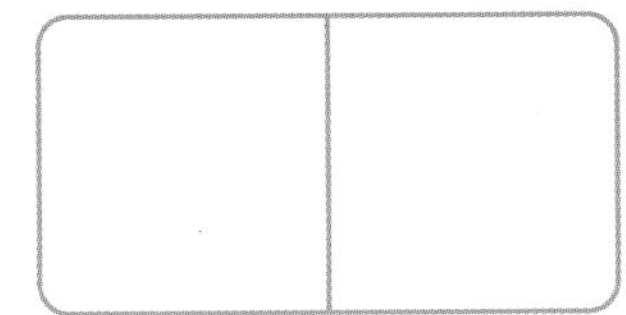

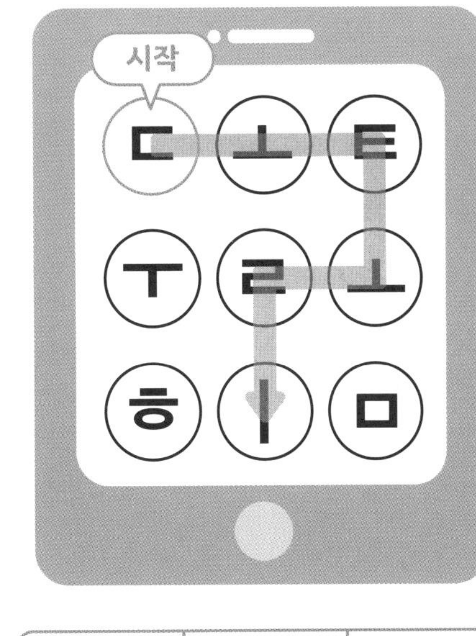

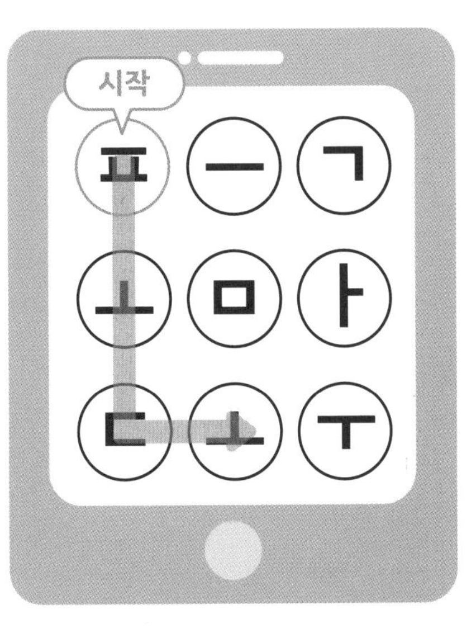

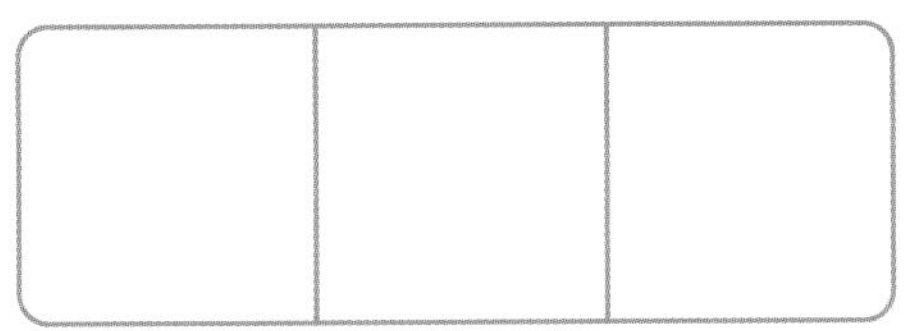

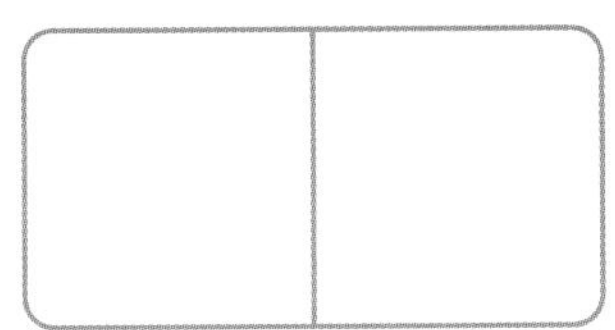

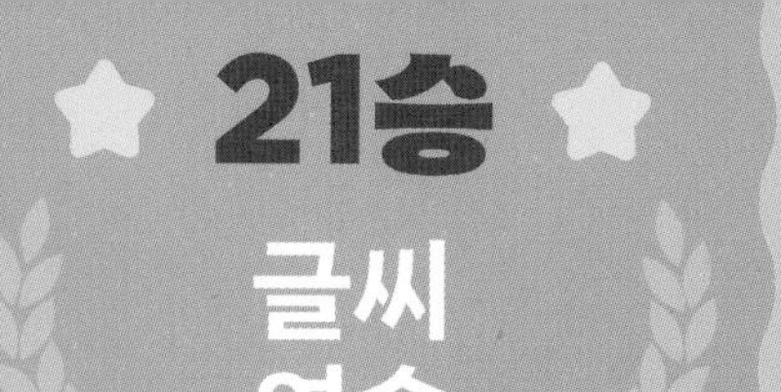

1 ㄱ ㄴ ㄷ 글자

★ ㄱ, ㄴ, ㄷ이 들어간 낱말을 바르게 써 보세요.

앞에서 배운 자음자, 모음자의 획순에 맞춰 칸을 꽉 채운다는 생각으로 또박또박 써 보세요.

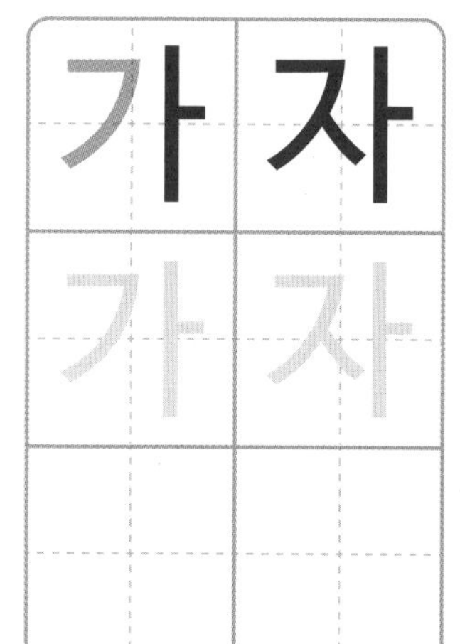

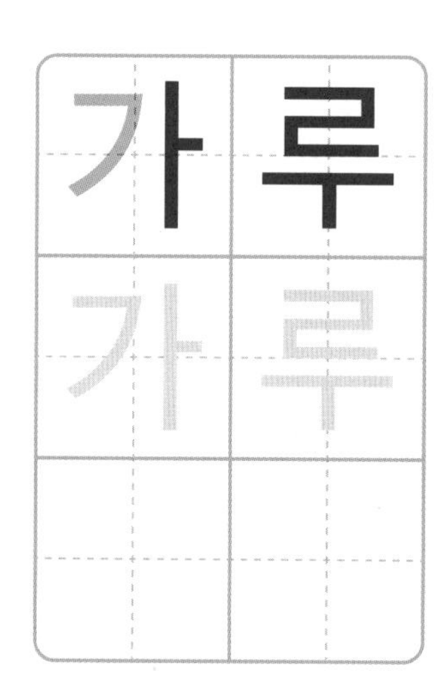

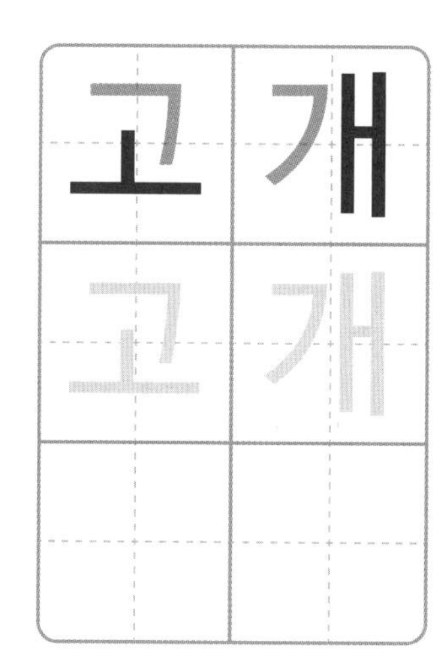

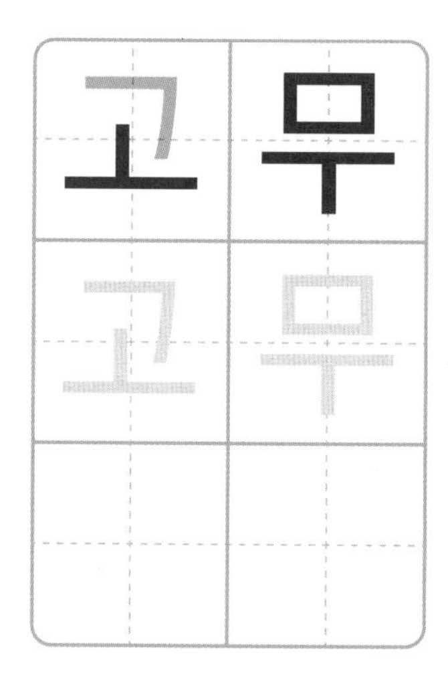

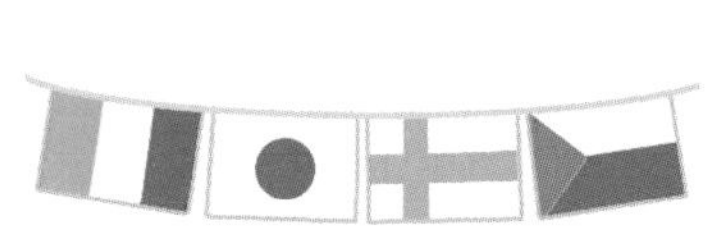

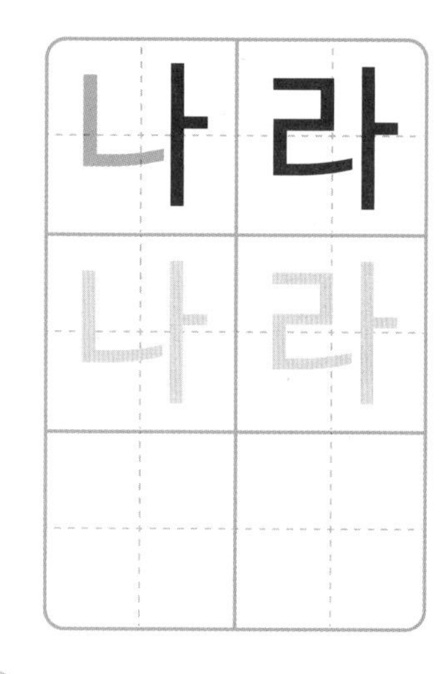

노래
노래

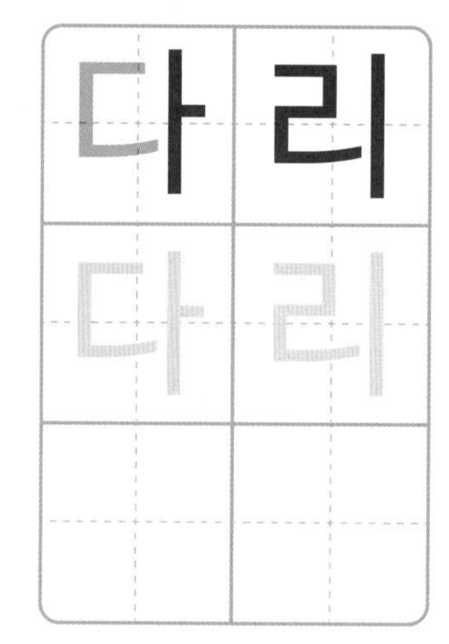

대추
대추

2 ㄹㅁㅂ 글자

★ ㄹ, ㅁ, ㅂ이 들어간 낱말을 바르게 써 보세요.

라마 부리 마루 무늬

라마 부리 마루 무늬

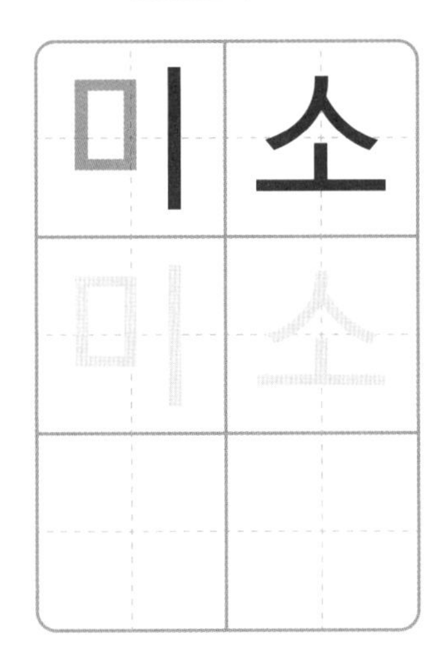
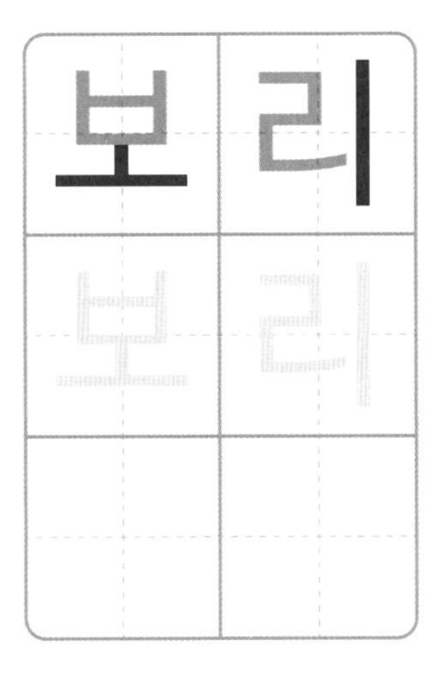
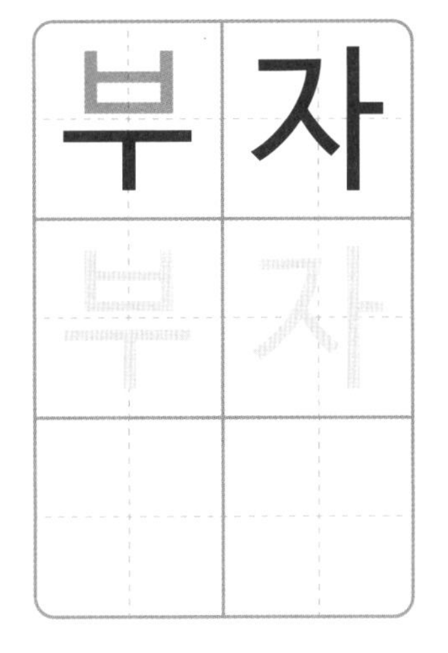

미소 보리 부자 배추

미소 보리 부자 배추

3 ㅅ ㅇ ㅈ ㅊ 글자

★ ㅅ, ㅇ, ㅈ, ㅊ이 들어간 낱말을 바르게 써 보세요.

월 화 수
10 11 12
어제 오늘
17 18 19

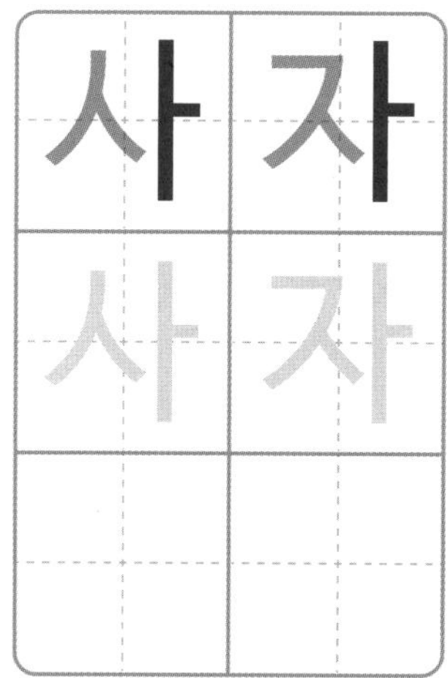
사자

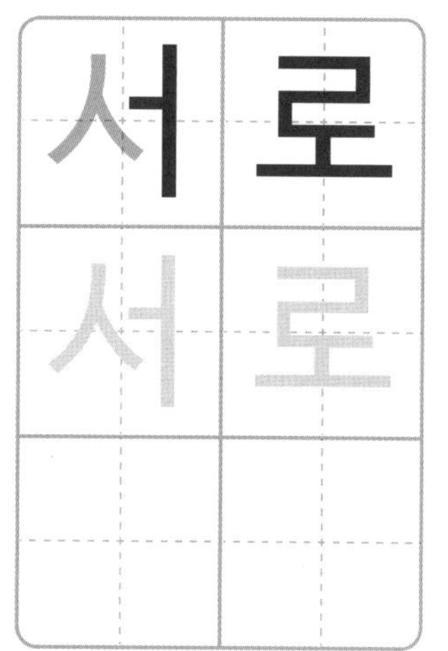
서로

우유

어제

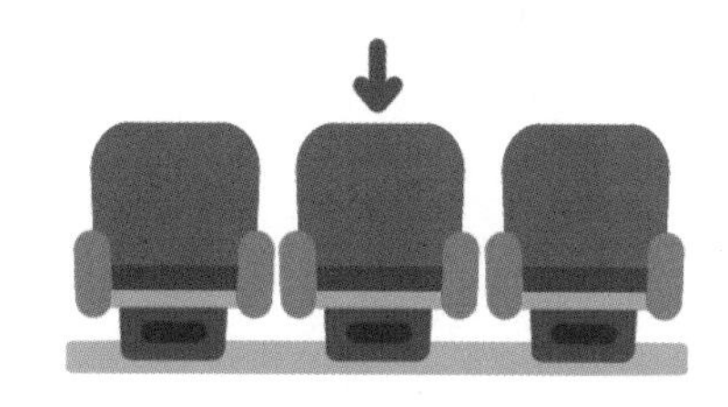

자리

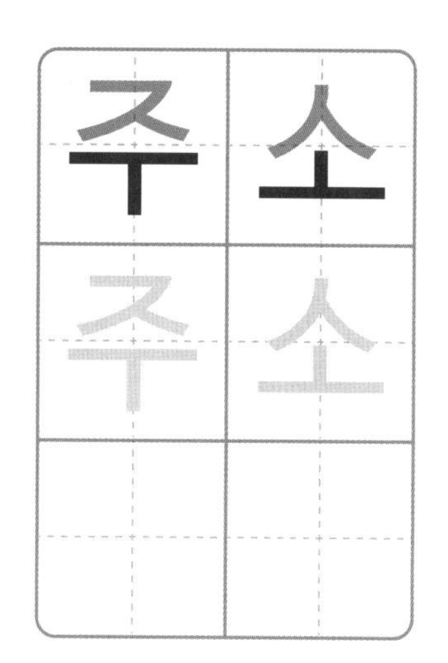
주소

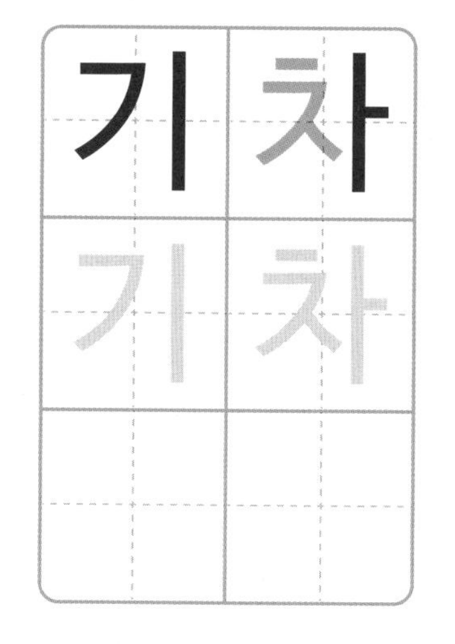
기차

초대

4 ㅋㅌㅍㅎ 글자

★ ㅋ, ㅌ, ㅍ, ㅎ이 들어간 낱말을 바르게 써 보세요.

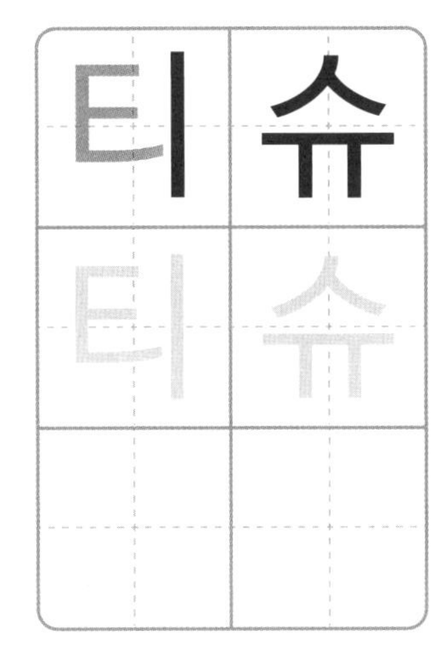

크다	키위	토끼	티슈
크다	키위	토끼	티슈

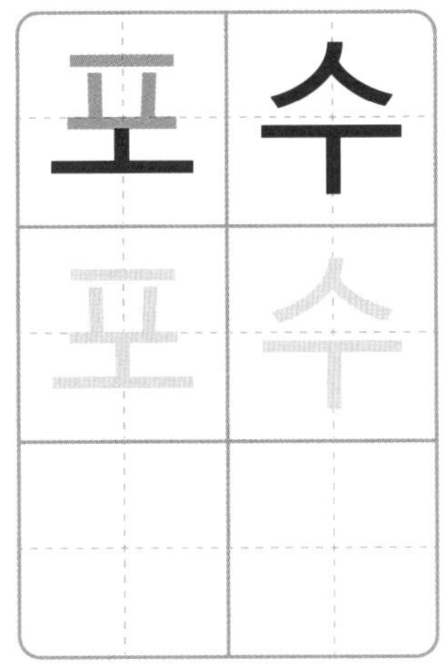
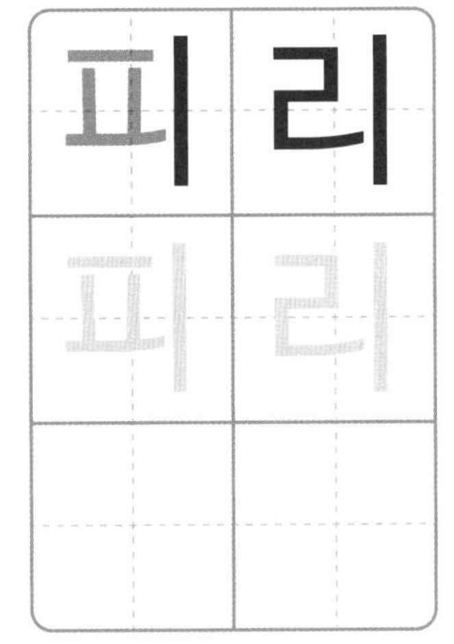

포수	피리	호수	하프
포수	피리	호수	하프

1 1글자 낱말

★ 그림과 초성을 보고 1글자 낱말을 완성하세요.

글자가 시작되는 처음 소리인 자음을 초성이라고 합니다. 그림과 초성을 보고 초성만으로 낱말을 알아맞히며 즐거운 말 재미를 경험하세요.

★ 그림과 초성을 보고 2글자 낱말을 완성하세요.

③ 3글자 낱말

★ **그림과 초성을 보고 3글자 낱말을 완성하세요.**

ㅂ	ㄱ	ㄴ

ㅍ	ㅇ	ㄴ

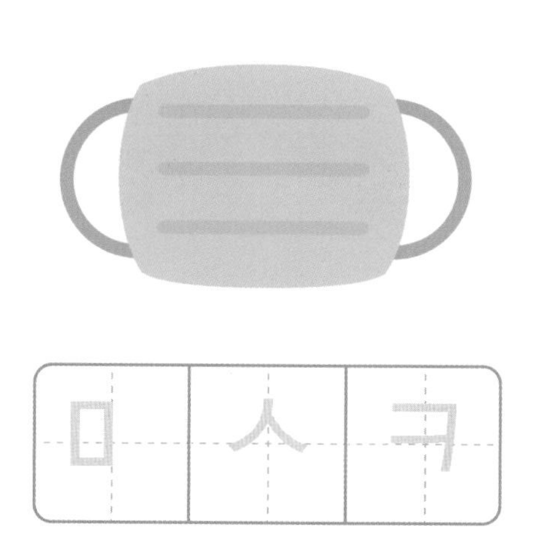

ㅁ	ㅅ	ㅋ

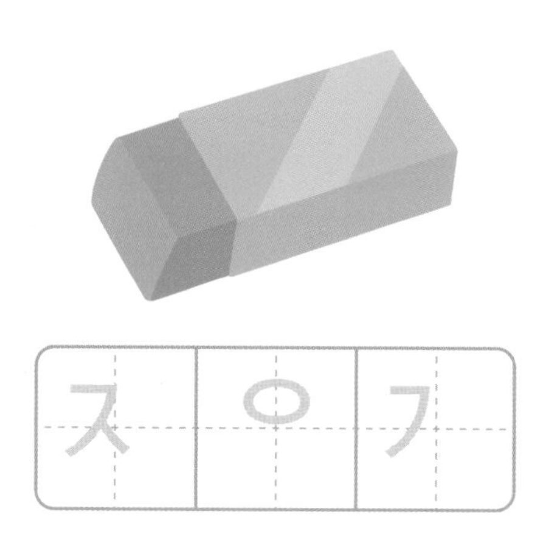

ㅈ	ㅇ	ㄱ

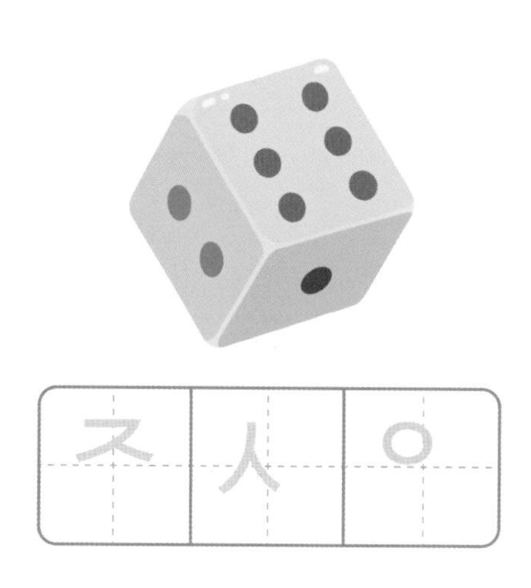

ㅈ	ㅅ	ㅇ

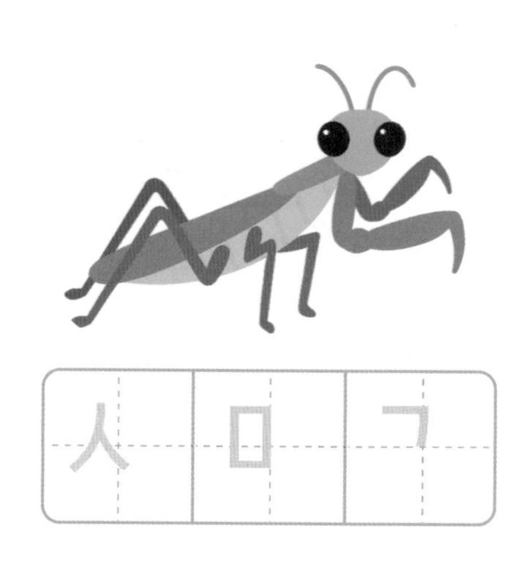

ㅅ	ㅁ	ㄱ

ㅇ	ㄱ	ㄹ

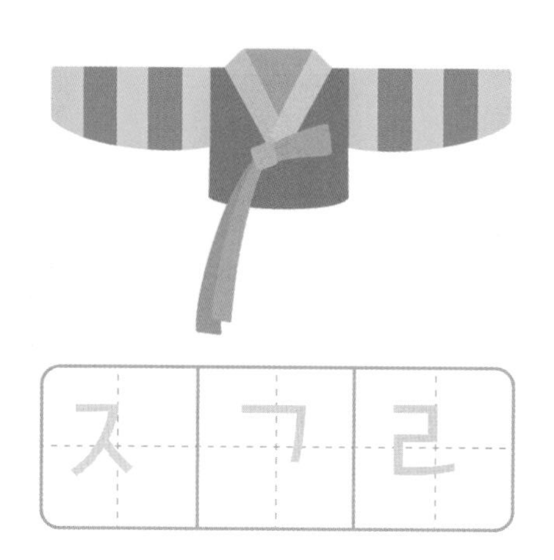

ㅈ	ㄱ	ㄹ

ㅁ	ㅈ	ㄱ

4 4글자 넘는 낱말

★ 그림과 초성을 보고 4글자 넘는 낱말을 완성하세요.

ㅋ ㅅ ㅁ ㅅ

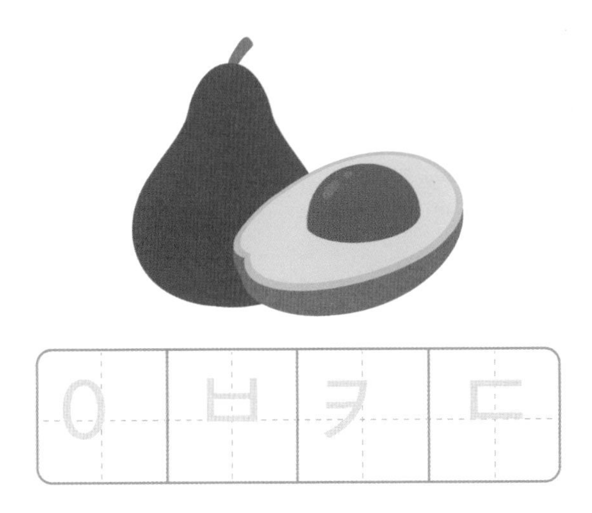

ㅇ ㅂ ㅋ ㄷ

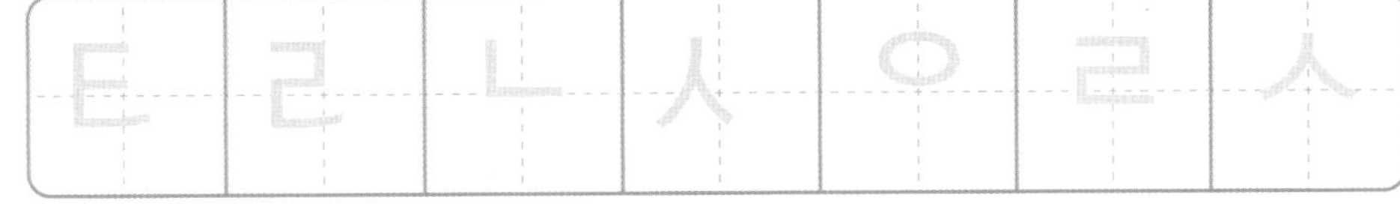

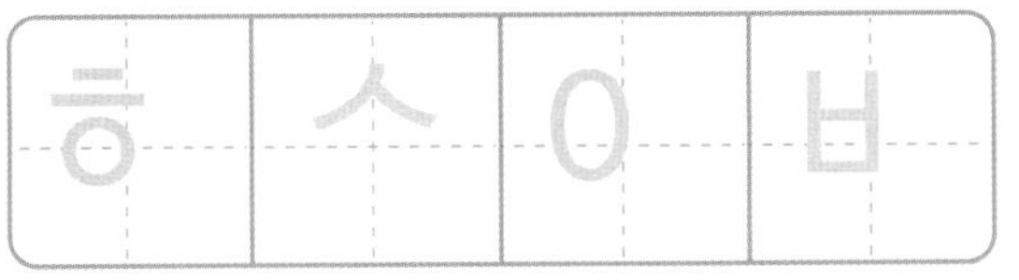

ㅇ ㅈ ㅁ ㄴ

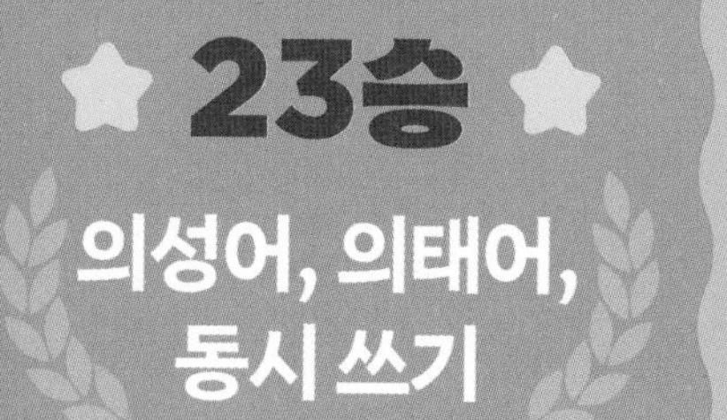

1 의성어, 의태어

★ 그림을 보고 흉내 내는 말을 따라 써 보세요.

소리를 흉내 내는 말을 의성어, 모양을 흉내 내는 말을 의태어라고 해요.

우르르

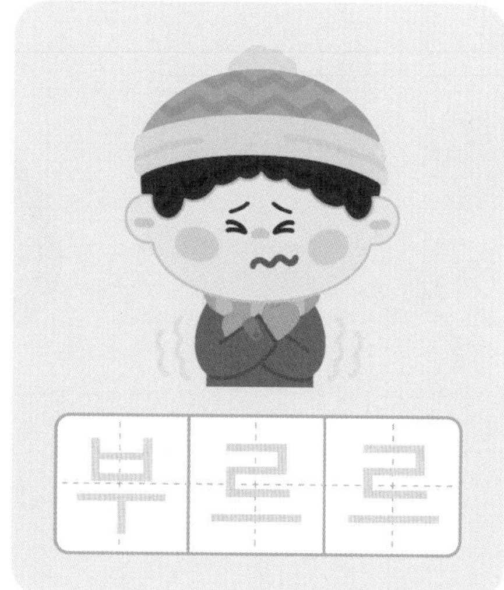

부르르

까르르

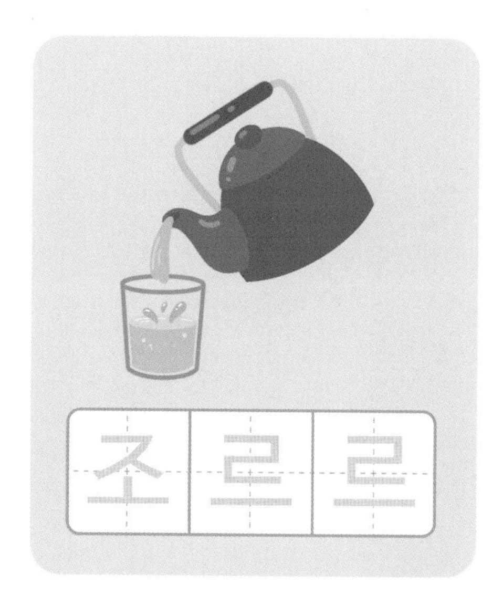

조르르

포르르

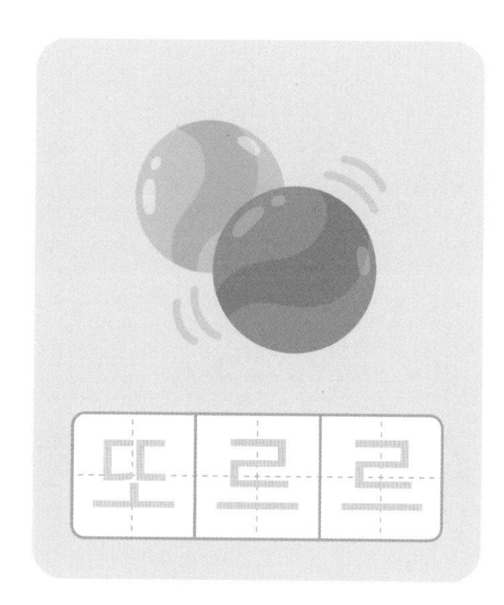

또르르

드르르

바르르

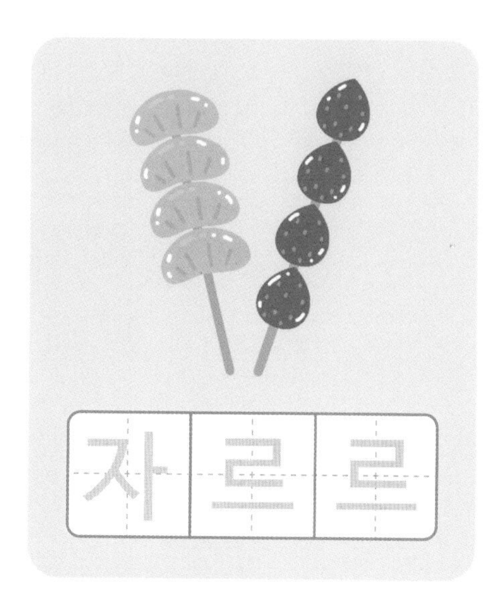

자르르

2 의성어, 의태어

★ 그림을 보고 알맞은 흉내 내는 말을 찾아 ○하고, 빈칸에 써 보세요.

부스스

보스스

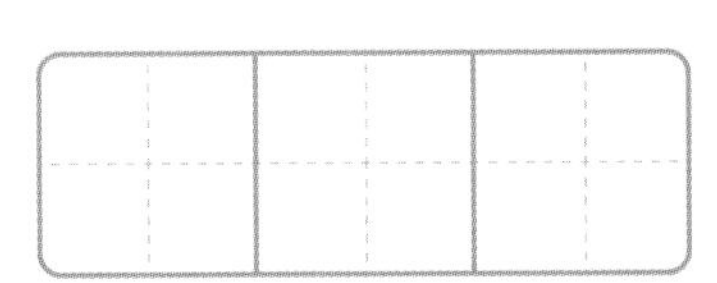 일어나요.

놔놔

쏴쏴

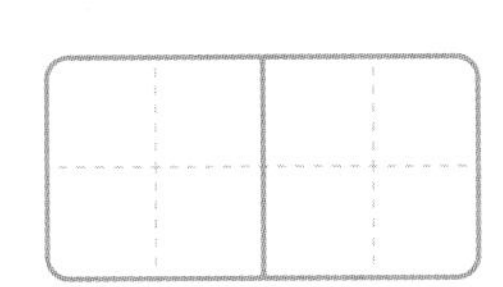 바람이 불어요.

꼬끼오

고기요

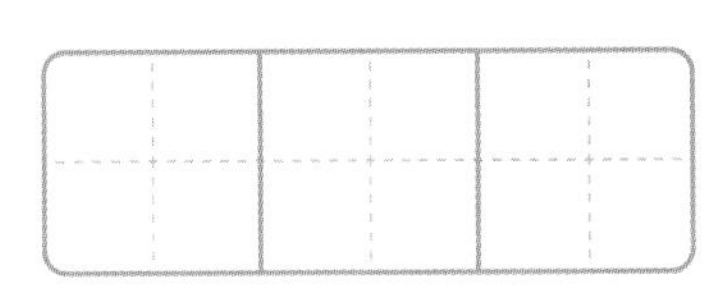 수탉이 울어요.

부두두

후두두

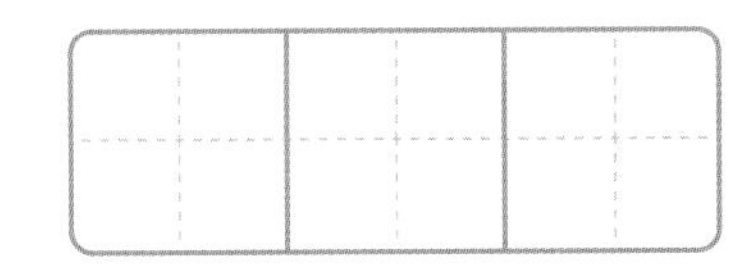 빗방울이 떨어져요.

마조마조

조마조마

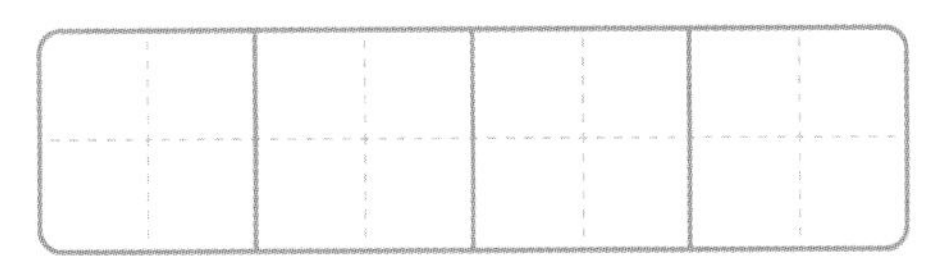 떨려요.

부리부리

보라보라

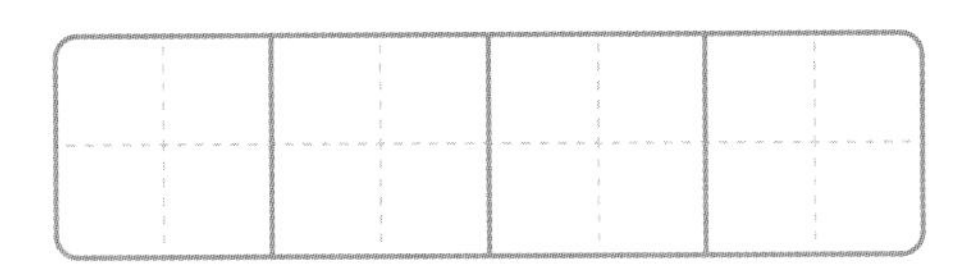 눈을 떠요.

3 동시 쓰기

★ 동시를 읽고 바른 글씨로 따라 써 보세요.

나무야 나무야 서서 자는 나무야.

나무야 나무야 다리 아프지.

나무야 나무야 누워서 자거라.

4 동시 쓰기

★ 동시를 읽고 바른 글씨로 따라 써 보세요.

너구리 치과

박정현

"아기 두더지 이가 아파요."
치카치카하세요.
치카치카 뽀그르르

"아기 타조 이가 아파요."
의자에 누우세요, 아!
<u>드르르 드르르</u>

"아빠 사자 이가 아파요."
이크, 이리 오지 마시고
거기, 거기에서, 아!

아기 두더지 이가 아파요.

아기 타조 이가 아파요.

아빠 사자 이가 아파요.

1 바른 낱말 따라 쓰기

★ 그림을 보고 바른 낱말을 찾아 ○하고, 빈칸에 써 보세요.

1 

버구니 / 바구니

과일 [　][　][　]

2 

귀마개 / 기마개

토끼 [　][　][　]

3 

투브 / 튜브

[　][　] 타고 놀자.

4 

교과서 / 교가서

[　][　][　]를 펴세요.

5 

기워 / 기와

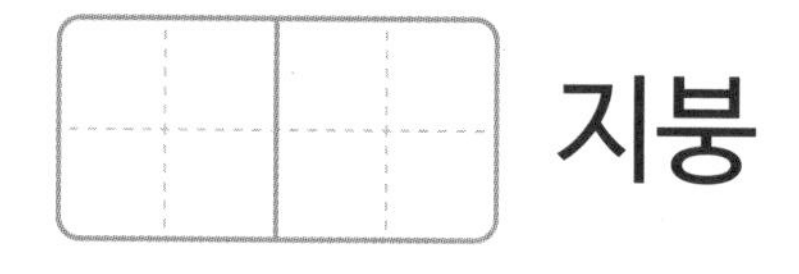

[　][　] 지붕

6 

의자 / 이자

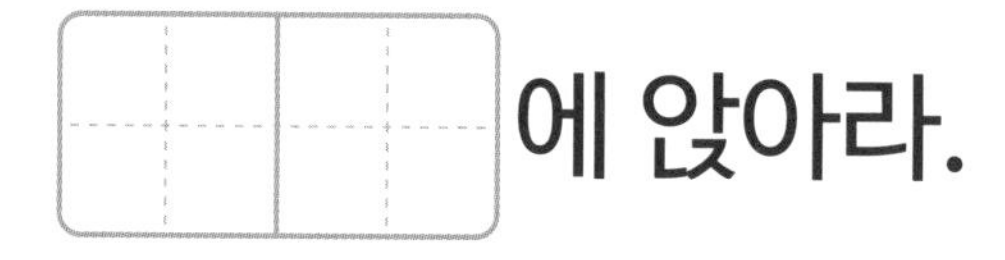

[　][　]에 앉아라.

2 문장 따라 쓰기

★ 띄어쓰기를 생각하며 문장을 따라 써 보세요.

가볍게 띄어쓰기를 경험해 보는 활동입니다. 낱말과 낱말 사이는 띄어 써야 한다는 것을 알려 주세요.

1 아빠가 V 요리해요.

V .

2 다리 V 위로 V 가요.

V V .

3 스파게티가 V 좋아.

V .

★ 띄어쓰기에 맞게 문장을 써 보세요.

1 토끼가뛰어요.

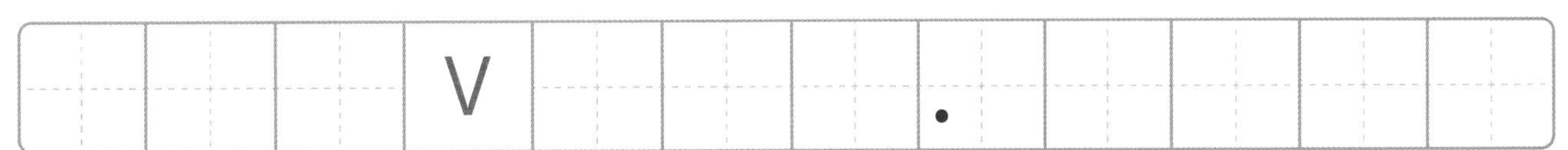

2 사자보러가요.

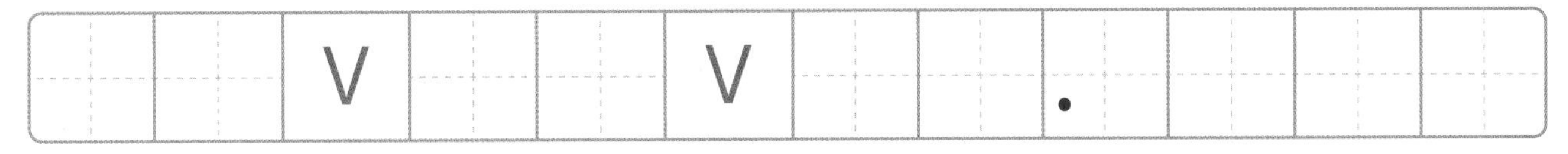

3 친구 시험지 채점하기

친구의 시험지에서 틀린 글자를 찾아 ×하고, 바르게 고쳐 써 보세요.

1 피아노 치기 ➡ 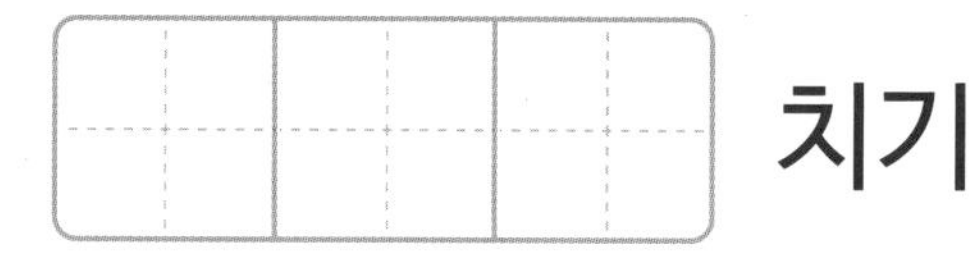 치기

2 되지 꼬리 ➡  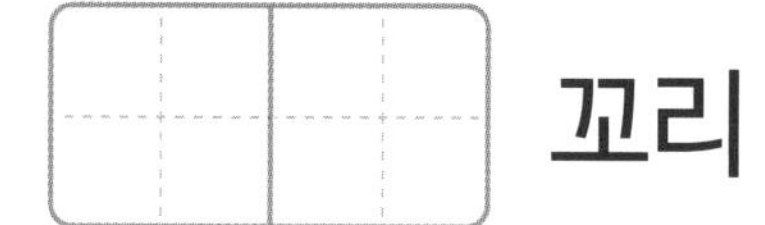 꼬리

3 아빠가 바파요. ➡ 아빠가   .

4 스워터가 예뻐요. ➡  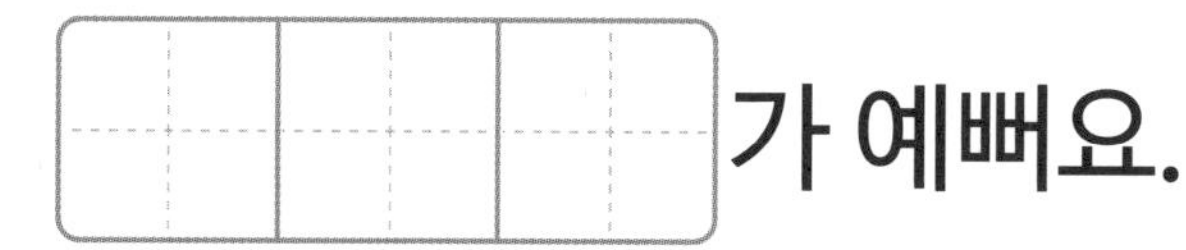 가 예뻐요.

5 모레놀이 ➡  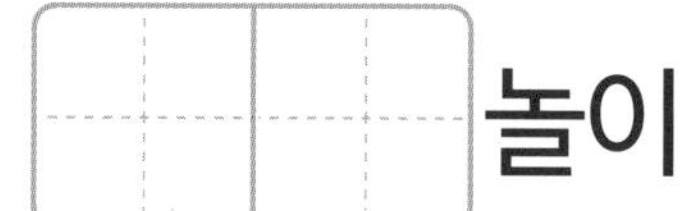 놀이

6 그내 타기 ➡ 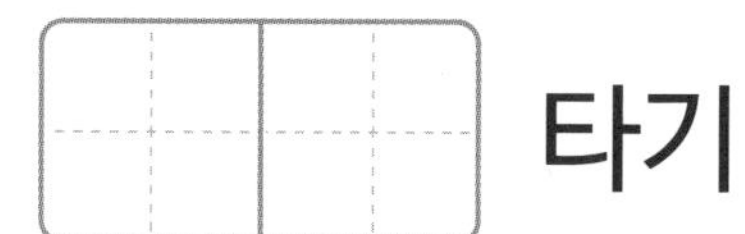 타기

7 꾀매 주세요. ➡ 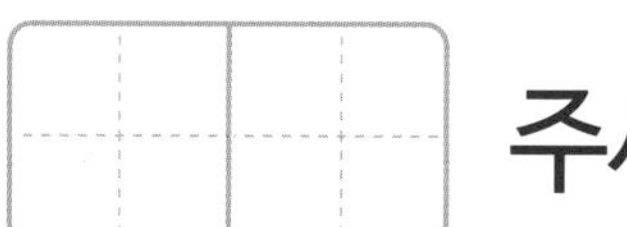 주세요.

8 누나가 채고 ➡ 누나가 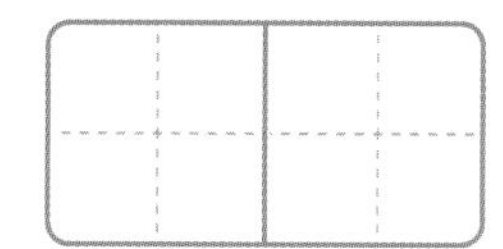

4 실전 받아쓰기

★ 불러 주는 말을 잘 듣고 받아쓰기를 해 보세요.

부모님이 그림을 보며 불러 주고, 104쪽을 보고 정답을 맞춰 보세요.

1  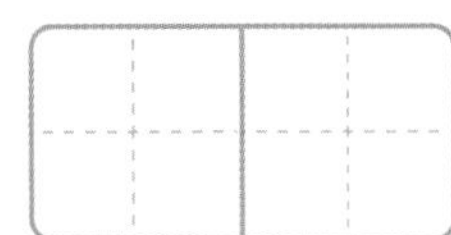

2  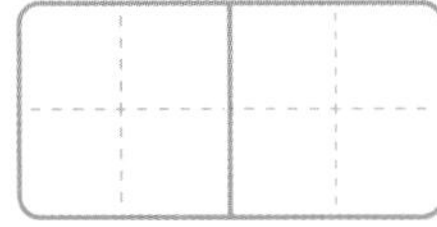

3  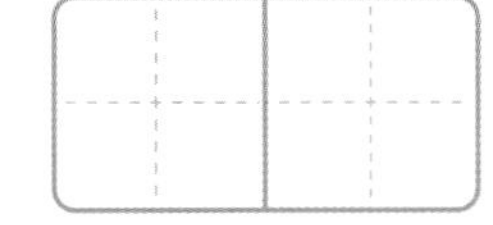

4  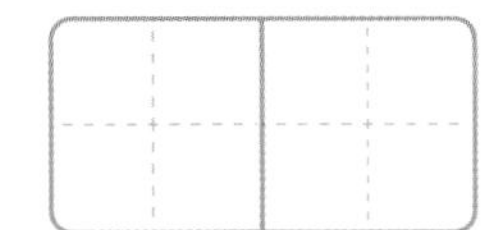

5 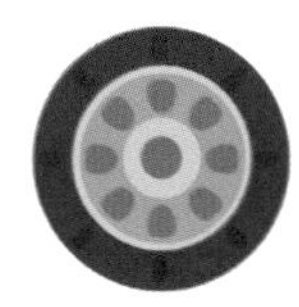 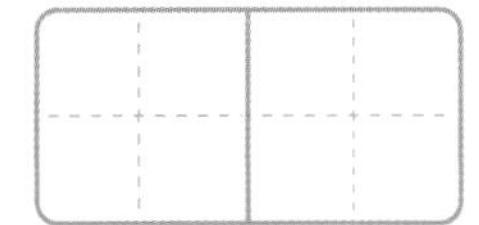

6  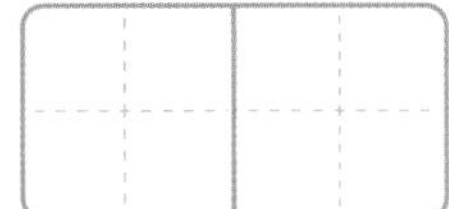

7  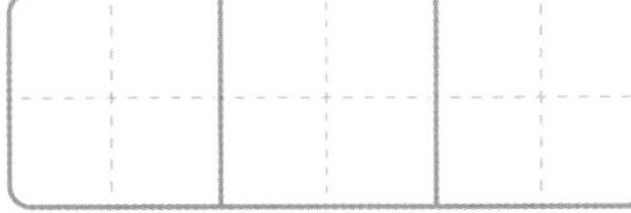

8 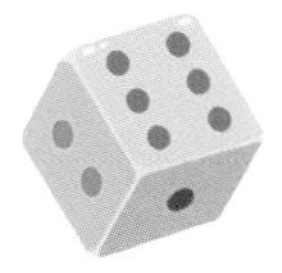 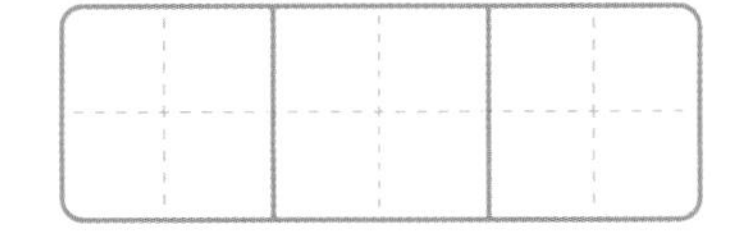

9  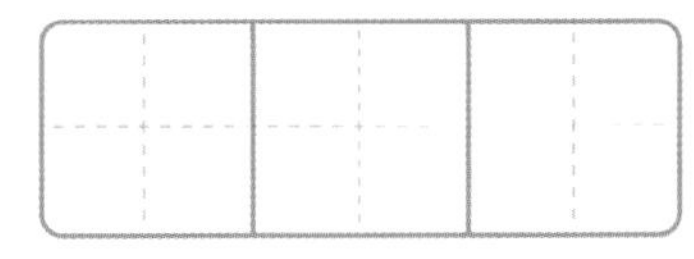

10  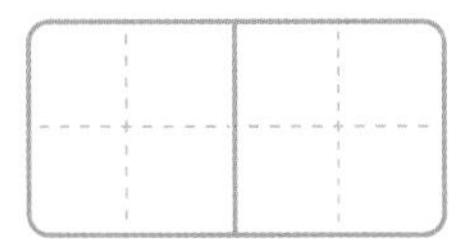

11 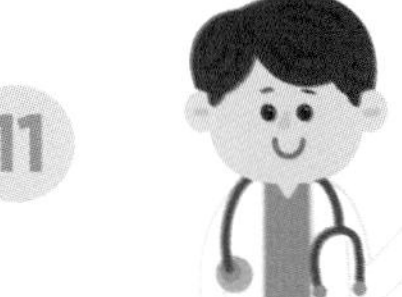 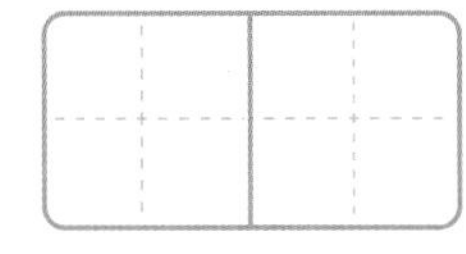

12  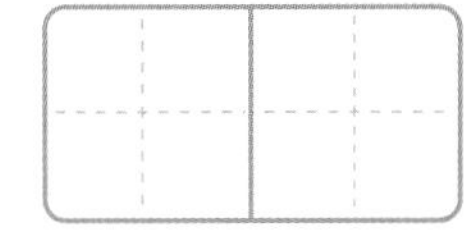

13  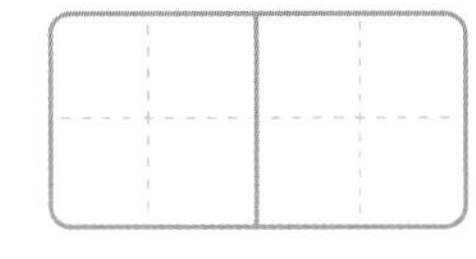

14 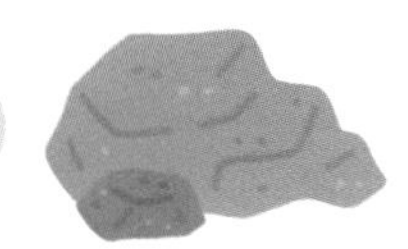 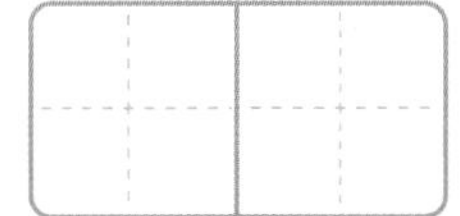

15  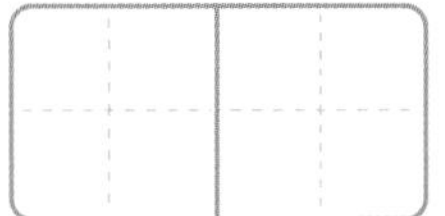

16  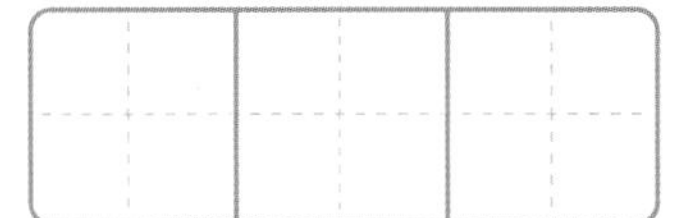

17  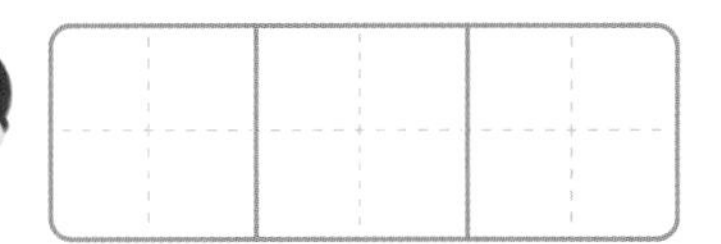

18  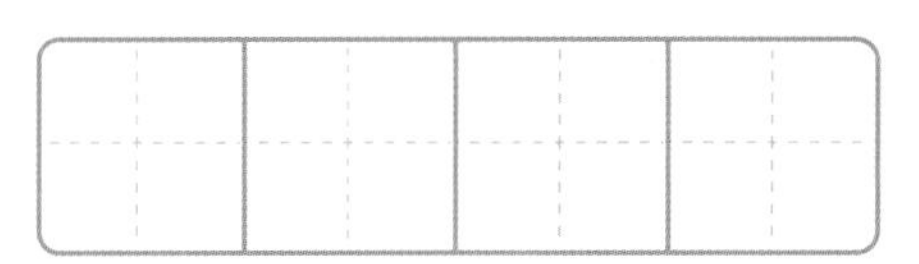

정답

▸ P36-37

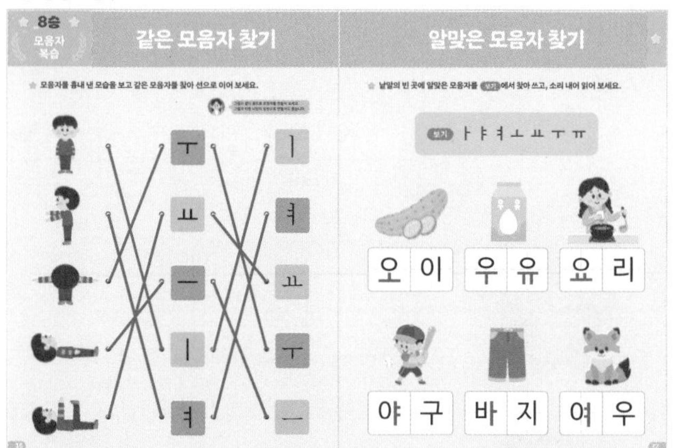

▸ P38-39

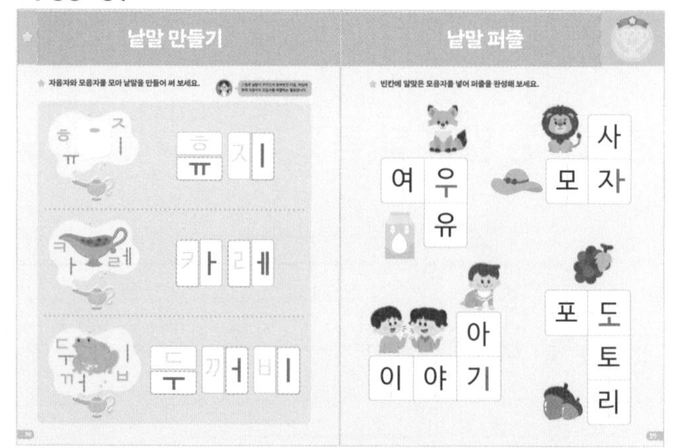

▸ P68-69

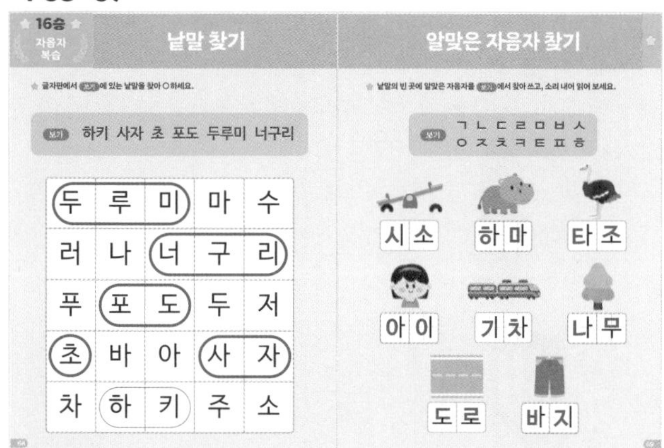

▸ P70-71

▸ P82-83

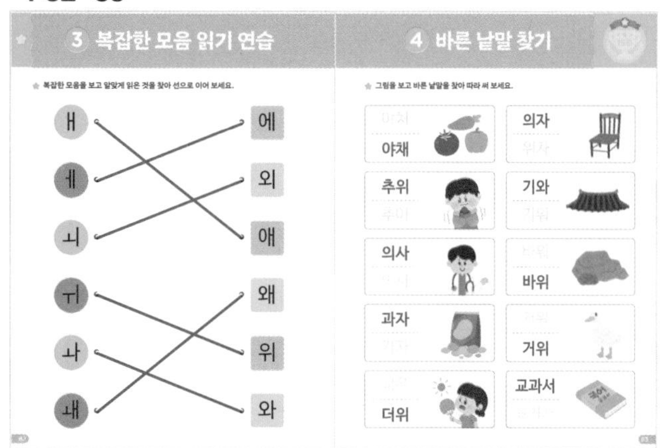

▸ P87

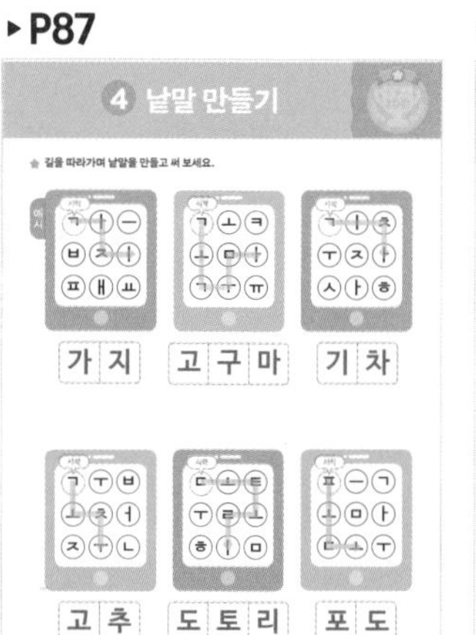

▸ P97

▸ P100

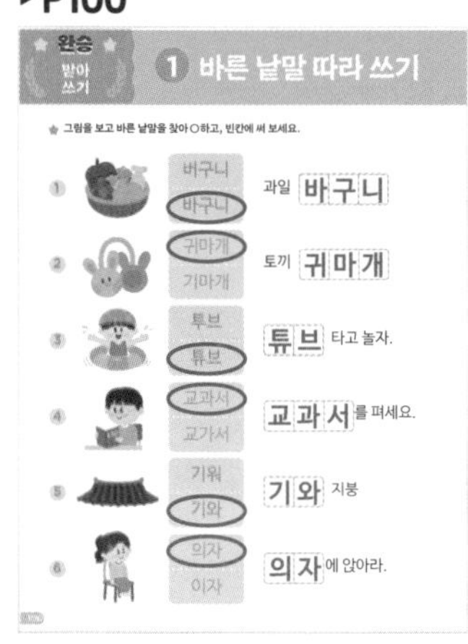

▸ P102-103

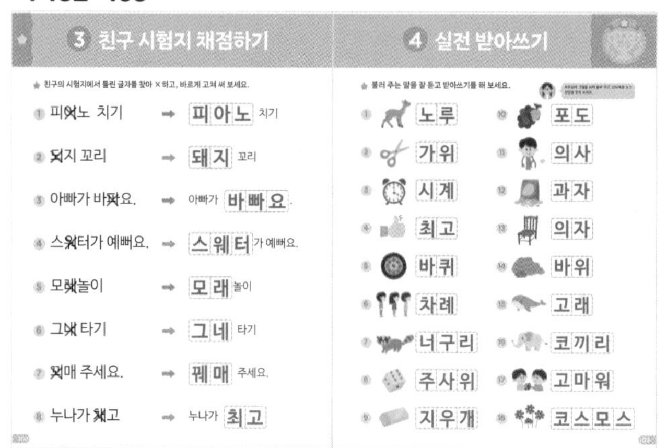

한글 자신감❶ 스티커

한 단원을 마친 후 트로피 스티커를 붙여 보세요. 자유롭게 칭찬 스티커를 활용해요.